晨讀10分鐘
小學生成語故事集2（上）
生活篇

撰寫——李宗蓓
繪圖——蘇力卡

目次

動物篇

植物篇

身體篇

人物篇

作者序

專家推薦

動物篇

牛的成語

對牛彈琴

古時候農業為主的生活中，牛不分晴雨，在田裡辛勤耕種，和人們關係密切，而牛的成語也種類繁多，像古人一邊放牛，一邊讀書的景象，就成為勤學的成語。

故事時光機

牟融是東漢時的大學者，他學問淵博，精通佛學義理和儒家經典，每當有儒家的學者向他請教佛學問題時，他總是引用儒家典籍的內容來講解說明。

有人覺得很奇怪，問他：「佛學經典這麼多，為什麼不直接引用佛經來講解呢？」牟融回答：「儒家學者熟悉儒家經典的內容，我引用他們熟悉的內容舉例說明，一下就聽懂了。如果我引用他們不熟悉的佛經來解說，講解得再好，聽不懂的話也沒有幫助。」

接著牟融又舉了一個例子：「春秋時代，魯國音樂家公明儀擅長彈琴。有一次，公明儀看到一頭牛低頭吃草，他取出琴，對著牛彈奏了一首高雅的樂曲，可是不管琴音多麼悅耳動聽，牛都好像沒有聽到一樣，低著頭吃草，沒有什麼反應。

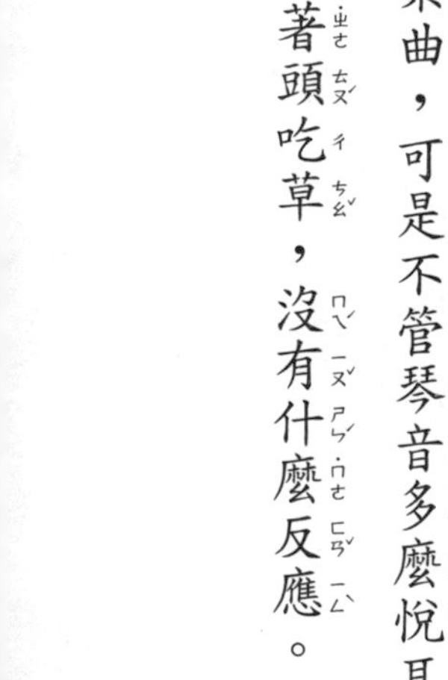

「公明儀發現這些深受人們喜愛的音樂並不適合彈給牛聽，於是他調整琴弦，彈奏出蚊蟲鼓動翅膀時發出的嗡嗡聲，接著又彈奏出小牛找不到母牛時悲傷的叫喚聲，牛一聽到和自己生活相關的聲音，立刻停止吃草，搖著尾巴，豎起耳朵，來回走動查看，注意的聽著琴聲。」

牟融用「對牛彈琴」來說明他引用儒家經典來講解佛理，也是同樣的道理。典源：《弘明集》

學習藏寶箱

1 對牛彈琴

解釋 彈琴給牛聽。比喻說話、做事不看對象；或比喻對不懂道理的人講道理。

造句 跟正在玩遊戲的小孩子談論深奧的數學原理，就像是對牛彈琴，得不到回應的。

2 泥牛入海

解釋 泥巴做的牛，掉入海中便溶化。比喻離開後就失去蹤影，沒有消息。

造句 好朋友搬家、轉學之後，便如泥牛入海，再也沒聯絡了。

3 牛刀小試

解釋 比喻有大才能，在小事上施展一下身手。

造句 他是大飯店的主廚，炒兩盤家常小菜，不過是牛刀小試罷了。

4 牛角掛書

解釋 把書掛在牛角上，邊放牛邊讀書。形容人把握時間，勤奮讀書。

造句 他善用時間，牛角掛書努力求學，得到了很好的成績。

5 牛衣對泣

解釋

牛衣是用麻草編成，為牛隻禦寒遮雨的衣物。意指沒有被子蓋，只能靠牛衣取暖；比喻夫妻共度貧困艱苦的生活。

造句

這對夫婦曾經有過一段牛衣對泣的歲月，所以更珍惜現在安穩的生活。

6 土牛木馬

解釋

泥土塑的牛，木頭做的馬，樣子像卻不是真的；比喻只有名稱卻無法實用。

造句

他在家門前裝了一臺假的監視器，就像土牛木馬，毫無作用。

7 牛驥同皁

解釋

「皁」是馬槽。千里馬和牛同槽共食；比喻好壞不分，無法辨別賢能或平庸。

造句

受到隊友的拖累輸了比賽，他不禁感嘆牛驥同皁，即使有才能也很難發揮出來。

相關成語

舐犢情深、汗牛充棟、庖丁解牛

虎的成語

三人成虎

老虎是非常威武凶猛的野獸，人的力量無法和牠徒手對抗，面對老虎時也需要極大的勇氣，所以「虎」的成語常帶有力量強大、勇氣十足的意思。

故事時光機

戰國時代，國與國之間常攻打來攻打去，戰爭造成社會動盪不安，百姓流離失所，讓國家蒙受重大的損失。有些國家便訂下友好盟約，約定互不侵犯對方的領土，避免戰爭。

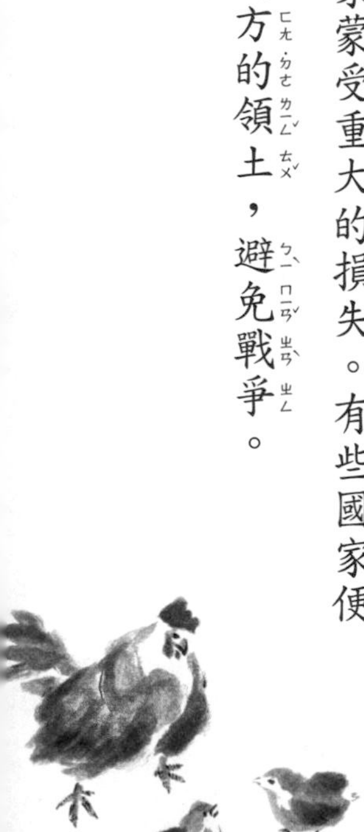

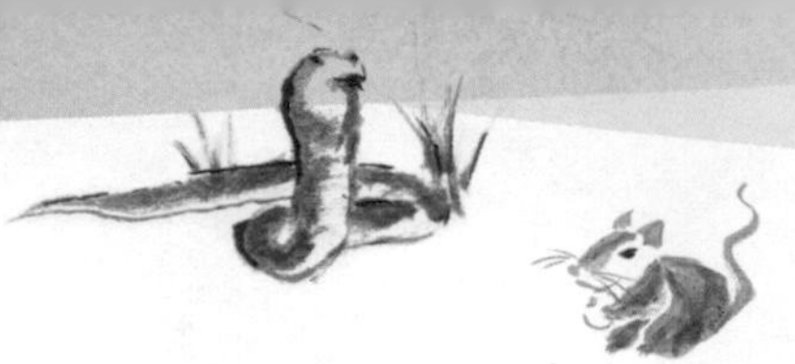

當時魏國和趙國邊境相連，兩國之間也訂定了和平盟約。而為了保證雙方絕對會信守諾言，魏王和趙王把自己的兒子送到對方的國家作為人質，用自己兒子的性命保證不會發動戰爭。

魏王派大臣龐蔥陪公子到趙國的都城邯鄲去作人質，龐蔥接到命令後，憂心的想著，這一次陪同公子去趙國，不知道多久之後才能返回魏國，這段時間，一定有人會在大王面前說公子和他的壞話，破壞大王對他們的信任。

龐蔥擔心魏王會受到影響，於是臨行之前，求見魏王，對魏王說：「大王，如果今天有人跟您報告熱鬧的大街上出現一頭老虎，您相不相信？」魏王說：「當然不相信。」

龐蔥又問：「如果不久之後，又有第二個人向您報告大街上出現了老虎，您相不相信？」魏王說：「還是不相信。不過，兩個人都這樣說了，或許會有些懷疑吧！」

龐蔥再問：「如果又有第三個人來報告大街上出現了老虎，您相不相信？」魏王沉默了好一會兒後，說：「如果三個人都這樣說了，一定是真的，我相信有老虎！」

龐蔥嚴肅的說：「大王，請您仔細的想一想。人群聚集的大街上不可能出現老虎，這是大家都知道的事。但是當三個人

都說大街上有老虎時，再不合情理的事，也讓人不由得相信了。比起魏國的大街，趙國首都邯鄲距離這裡又更遙遠，如果有人趁著公子和我不在時，在您面前批評我們，希望大王能夠辨別是非，不要相信謠言。」

魏王點點頭，說：「我明白你的意思，你們放心的去趙國吧！」

然而龐蔥離去之後，不只三個人在魏王面前挑撥離間，說龐蔥的壞話。魏王一開始記得龐蔥的話，不相信這些謠言，但日子久了，內心也動搖了，對龐蔥與兒子起了猜疑之心，不再

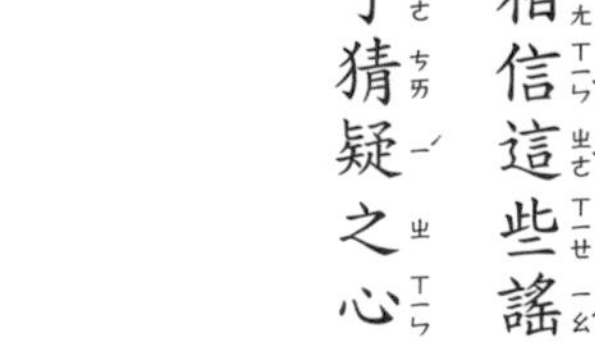

信任他們。

等到龐蔥回國之後，魏王已不再召見，也不再重用他。龐蔥擔心三人成虎的事情，可惜還是發生了。

典源：《戰國策》

學習藏寶箱

1 三人成虎

解釋 比喻謠言再三重複的傳播，便會讓人以為是真的。

造句 新聞報導要有真憑實據，確認消息來源，以免三人成虎，誤導了民眾。

2 如虎添翼

解釋 老虎長出翅膀。比喻力量強大者又有新助力，更加強大。

造句 這支棒球隊新加入一名王牌投手後，如虎添翼，果然得到了冠軍。

3 與虎謀皮

解釋 向老虎商量取牠身上的毛皮。比喻所謀求的與對方有利害衝突，會犧牲對方的利益。

造句 找競爭對手幫忙，根本是與虎謀皮，不如靠自己多努力吧！

4 縱虎歸山

解釋 把老虎放回山林。比喻放走敵人，日後的禍患將無法斷絕。

造句 對付壞人，千萬不能縱虎歸山，以免再次受害。

5 畫虎類犬

解釋 描繪老虎卻畫得像狗。比喻目標高遠卻沒有能力去做，或想要模仿卻變得什麼都不像。

造句 他想成為跆拳道高手卻不好好練習，畫虎類犬，表現得很差。

6 虎視眈眈

解釋 像老虎般威猛的注視。比喻心中存有不良的意圖，貪婪的注視著想要掠奪的對象或物品。

造句 電影裡，各路人馬對寶藏虎視眈眈，都想擊退對手，獨占所有寶物。

7 虎背熊腰

解釋 背寬厚像虎，腰粗壯似熊；形容人體型魁偉健壯。

造句 他原本瘦弱的身材，經過嚴格的體能訓練之後，變得虎背熊腰，十分健壯。

相關成語參考

談虎色變、調虎離山、狐假虎威、為虎作倀、騎虎難下、驢蒙虎皮

龍的成語

葉公好龍

龍是神話傳說中充滿靈性與權威的生物，常用來作為帝王的象徵，或是團體之中的領袖和豪傑才俊，所以和龍有關的成語，常帶有優秀出眾的意思。

故事時光機

春秋時代，楚國葉縣縣令葉公非常喜愛「龍」。有多喜愛呢？葉公家大門上畫著龍，大門前的石柱子雕刻著龍，屋頂上也矗立著龍。

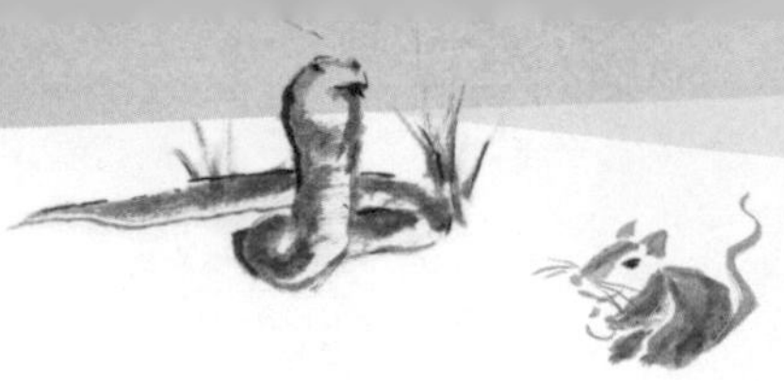

不只如此，葉公家裡，家具上雕刻著龍的圖案，他每天穿著繡有龍的衣服，拿著刻有龍的杯子喝酒。葉縣的人都知道，葉公對龍非常痴迷，大家都說他一定是天底下最喜愛龍的人。

天上的神龍，聽說這件事後，認為人間竟然有人這麼喜愛、仰慕自己，非常感動，決定下凡去拜訪這個人，給他一個大驚喜。

這天，葉公坐在大廳裡刻著龍的椅子上休息，天空中突然傳來轟隆！轟隆！轟隆！的雷聲，一條神龍騰雲駕霧從天而降，來到了葉公家門前。

神龍的身軀太過巨大，進不了葉公家的廳堂，只好把頭伸進窗戶中，對葉公打招呼：「你就是葉公吧？聽說你非常喜愛我。」

葉公看到真正的神龍出現，嚇得魂飛魄散，臉色發白、全身發抖的逃進房間裡躲了起來。

神龍覺得好奇怪啊！葉公平日表現出這麼喜愛龍的樣子，當真的龍出現的時候，不但不開心，反而害怕得不得了。

神龍見葉公一直躲著不出來，等了又等，最後無奈的飛回了天上。

人們聽說這件事後，都說原來葉公不是喜愛真正的龍，而是喜愛龍的樣子，喜愛的是假的龍！典源：《新序》

學習藏寶箱

1 葉公好龍

解釋 比喻口頭或表面上好像喜愛某一事物，但其實內心並非真正喜愛它。

造句 他整天吹噓騎腳踏車的好處，不惜花費重金購買昂貴的腳踏車，買了後卻放在家中從來不曾騎過，真是葉公好龍啊！

2 龍飛鳳舞

解釋 形容書法筆勢豪放飄逸，也用來形容字跡潦草凌亂。

造句 這位書法名家的草書，龍飛鳳舞，氣勢非凡。

3 龍蟠虎踞

解釋 像神龍盤曲，猛虎蹲坐。形容地勢雄偉險要。

造句 這座山城龍蟠虎踞，容易防守卻很難攻陷，自古以來就是軍事重地。

4 龍騰虎躍

解釋 像龍飛騰、虎跳躍。形容精神好，充滿朝氣，行動矯健。

造句 新的一年，他期許自己龍騰虎躍，有更出色的表現。

5 生龍活虎（ㄕㄥ ㄌㄨㄥˊ ㄏㄨㄛˊ ㄏㄨˇ）

解釋 像龍、虎般充滿活力。形容活潑勇猛，精力充沛的樣子。

造句 籃球場上，球員們各個生龍活虎，鬥志昂揚的打完整場比賽。

6 乘龍快婿（ㄔㄥˊ ㄌㄨㄥˊ ㄎㄨㄞˋ ㄒㄩˋ）

解釋 比喻令人滿意的女婿，也用來讚美別人的女婿。

造句 堂姊下個月就要結婚了，伯父得到一位乘龍快婿，非常歡喜。

7 群龍無首（ㄑㄩㄣˊ ㄌㄨㄥˊ ㄨˊ ㄕㄡˇ）

解釋 比喻一群人鬆散分裂，缺乏帶頭領導者。

造句 這個公益組織自從創辦人離開後，便群龍無首，無人領導了。

相關成語參考

畫龍點睛

蛇的成語

畫蛇添足

蛇是在地上爬行的冷血動物，有些又有毒牙，讓人害怕。和蛇有關的成語，除了用牠的長條形無四肢的形貌作為比喻外，也常含有陰險狠毒的意思。

故事時光機

戰國時代，楚國有個負責廟堂祭祀的人，一次在祭祀儀式結束後，拿了一壺酒請底下幾個幫忙做事的人喝。

大家看到酒很開心，但只有一壺，怎麼分才好呢？大家一

起分的話，每個人只能喝幾口，多不過癮啊！如果可以一個人喝一壺的話，就很盡興。

於是這些人互相商量，決定在地上比賽畫蛇，誰最快畫完，就可以獨自享用這壺酒。大家都同意了。

畫蛇比賽開始後，有一個人畫得很快，一下子就畫好了蛇。他看其他人都還在畫，得意的說：「來來來！大家看，我最先畫好，這壺酒是我的嘍！」

這個人左手拿起了酒壺，右手竟又在地上畫了起來，邊畫邊說：「你們畫太慢了，我還有時間再幫蛇畫上腳呢！」

然而，這個人幫蛇畫腳畫到一半，另一個人已經畫好蛇了，他伸手把酒壺搶了過去，說：「蛇沒有腳，你添上腳後畫的就不是蛇了！所以我才是最快畫完蛇的人。這壺酒是我的才對！」說完後，便得意的喝起酒來了。

那個替蛇畫上腳的人，只能眼睜睜的看著本來已經得到的那壺酒，被人拿走喝光了。

典源：《戰國策》

學習藏寶箱

1 畫蛇添足

解釋　比喻所做的事情是不必要的、多餘的，反而把事情弄糟。

造句　不小心做錯了事，誠心道歉就好，辯解越多，反而畫蛇添足，讓對方更生氣。

2 打草驚蛇

解釋　比喻行事不夠謹慎嚴密，使對方有所警覺，預先防備。

造句　警方嚴密監控這個販毒集團很久了，就怕打草驚蛇，走漏消息，讓他們有機會逃脫。

3 虎頭蛇尾

解釋　比喻做事開了頭之後卻草率結束，或比喻文章開頭寫得好，結尾卻很差。

造句　他很有創意和才華，可惜做事虎頭蛇尾，所以總是失敗。

4 筆走龍蛇

解釋　比喻文章順暢，揮灑自如或書法優美熟練。

造句 靈感一來，他筆走龍蛇，很快就完成一篇絕妙好文。

5 龍蛇雜處

解釋 各種人物混雜在一起。形容分子複雜，好的壞的都混在一起。

造句 這個區域龍蛇雜處，觀光客經過這裡時要特別注意安全。

6 蛇蠍心腸

解釋 比喻人心地非常陰險、惡毒。

造句 他在這部電影中首次挑戰反派的角色，飾演一個蛇蠍心腸的黑魔王。

7 毒蛇猛獸

解釋 有毒的蛇、凶猛的野獸。指會威脅人們生命的動物，或比喻凶狠、殘暴的人。

造句 他的性格暴戾殘忍，就像毒蛇猛獸般讓人畏懼。

相關成語參考

杯弓蛇影

馬的成語

指鹿為馬

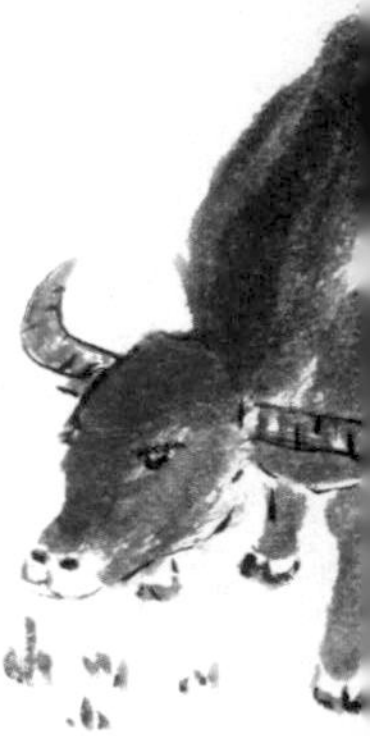

馬四肢強健，性情溫和，能載人或重物走遠路，是古代人們生活的好幫手，所以和馬有關的成語便常與牠們善於載重奔馳的能力有關。

故事時光機

秦朝末年，秦始皇染上重病，奄奄一息的時候，寫了封詔書給正帶兵在邊境防守的長子扶蘇，請扶蘇趕快回來，準備處理後事，繼承王位。

詔書寫好後，還來不及送出，秦始皇就病逝了。

當時陪在秦始皇身邊的宦官趙高，擔心太子扶蘇成為秦王之後，會對他不利，讓他失去權位，竟隱瞞秦始皇的死訊，假裝秦始皇還活著，欺騙大臣們，然後毀掉真的詔書，再用秦始皇的名義偽造了一份假的詔書，假傳聖旨賜死扶蘇，改立秦始皇的小兒子胡亥為皇帝，順利的讓自己當上了丞相，繼續掌權。

胡亥當上秦王後，因為年紀輕，個性懦弱，凡事都聽從趙高的意見。但是趙高並沒有因此滿足，竟想取代胡亥自己當皇帝。他想了一個主意，測試朝中大臣誰忠心聽命於他，誰又會

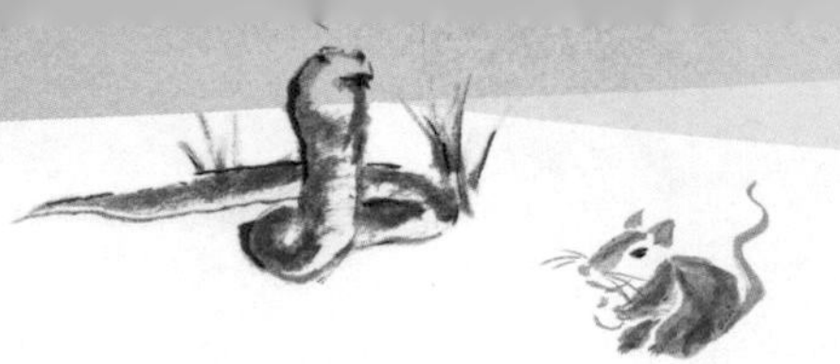

反抗他？

有一天，趙高跟隨著秦王胡亥外出時，故意騎在一匹鹿上。胡亥見了，覺得很奇怪，問趙高：「你為什麼騎著鹿呢？」趙高回答：「大王，這是一匹馬啊！」胡亥說：「你錯了，怎麼會把鹿當成了馬。」趙高還是堅持：「這是一匹馬。大王如果不相信我的話，可以問問其他大臣。」

胡亥詢問身邊的大臣們，有的大臣說：「丞相說的對，是馬！」，有的大臣說：「是鹿，明明是一隻鹿。」雖然有說真話的人，但也有許多大臣為了討好趙高，竟然不顧事實，硬是把鹿說成馬。

而胡亥竟也糊里糊塗，看不清事實，分不清是鹿還是馬。而那些不順從趙高，不願意指鹿為馬的臣子們，後來都遭到趙高的陷害。典源：《新語》

學習藏寶箱

1 指鹿為馬

解釋 比喻公然的歪曲事實，顛倒是非。

造句 為了求勝選，他竟然指鹿為馬的抹黑其他候選人，結果反而敗選。

2 馬首是瞻

解釋 作戰時，士兵依據將領的馬頭，決定前進的方向。比喻服從指揮或追隨著某人行動。

造句 這次報告，他們以王同學馬首是瞻，完全聽從他的意見。

3 馬不停蹄

解釋 比喻到處奔走不休息，非常忙碌。

造句 林先生為人熱心，當選里長後，更是馬不停蹄為里民服務。

4 天馬行空

解釋 神馬在天空中奔馳。比喻文才豪放不拘，想像力豐富，或形容人言行浮誇，不符合現實狀況或需要。

造句 這本小說情節如天馬行空，想像力驚人，娛樂性很高。

5 汗馬功勞

解釋 作戰時，戰馬辛苦奔馳出汗。比喻作戰得到的功勞，或工作上的辛勞、成績。

造句 能成為世界第一的品牌，絕不是憑一個人的努力，整個團隊都有汗馬功勞。

6 快馬加鞭

解釋 對跑很快的馬，鞭策牠跑得更快。形容已經很快，還要再加快速度。

造句 為了準時交出畢業作品，姊姊快馬加鞭的趕工。

7 心猿意馬

解釋 心思如猿猴般跳躍，意念像快馬般奔馳。比喻心思不能專注集中，或心意反覆，變化不定。

造句 想到放學後要和同學去逛街，他便心猿意馬，無法專心上課。

相關成語參考

老馬識途、青梅竹馬、害群之馬、倚馬可待、露出馬腳

雞的成語

聞雞起舞

雞是已被人類馴養千年的家禽，是日常生活中最熟悉常見的動物之一，因為普通又常見，所以和雞有關的成語常有普通、微小的意思。

故事時光機

晉朝的時候，北方的胡人常常侵略邊境，傷害百姓，祖逖和劉琨生長在動盪不安的環境中，青年時代便立誓要保護百姓，報效國家。

兩個人志同道合，成為了好朋友，並住在一起，互相砥礪。有一天，屋外仍朦朧一片，天色還沒有亮，祖逖聽到窗外傳來幾聲雞鳴，立刻起床喚醒了劉琨，對他說：「快起床，我們要把握時間，鍛鍊身體，才能早點為國家貢獻力量。來練劍吧！」

劉琨也馬上回應：「對，我們要趕快練出一身好武藝才行。」

祖逖和劉琨拿起長劍，到院子裡互相切磋、鍛鍊。兩人天天聞雞起舞，練就了一身好武藝。

祖逖後來成為了奮威大將軍，帶兵北伐，當他率領部隊坐船橫渡長江時，他高舉船槳叩擊船舷，大聲宣誓：「不能收復中原，絕不回家鄉。」士兵們聽了後，都慷慨激昂的附和祖逖，立志解救國家，收復失土。

劉琨聽到祖逖北伐成功，立下大功的消息後，每天晚上都睡在兵器上等待天明，隨時做好上戰場的準備。劉琨後來也馳騁沙場，一償報效國家的心願，成為了大將軍。典源：《晉書》

學習藏寶箱

1 聞雞起舞

解釋　一聽到雞啼，立即起床操練武藝。比喻把握時機，及時努力行動。

造句　為了加入籃球隊，哥哥每天聞雞起舞，早起練球從不間斷，終於入選校隊。

2 牝雞司晨

解釋　母雞代替公雞在清晨鳴啼報曉。比喻婦人專權，也比喻超越職權去管理事務。

造句　這並不是你負責的工作，你也沒有權力處理，不要牝雞司晨。

3 殺雞儆猴

解釋　殺雞警告猴子。比喻懲罰一個人以警告其他人。

造句　這次受處罰的人雖然不多，但已經收到了殺雞儆猴的效果。

4 殺雞取卵

解釋　為了取雞蛋把雞殺死。比喻貪圖眼前的好處而損害了長遠更大的利益。

造句 他已經很疲累了，再叫他繼續加班工作，就像殺雞取卵，不會有好處的。

5 縛雞之力

解釋 綑綁雞隻的力量。形容力氣很小。

造句 他連縛雞之力都沒有，不可能搬得動這麼重的箱子。

6 呆若木雞

解釋 像木頭做成的雞，沒有反應。形容人愚笨，或受到驚嚇而失神、發呆的樣子。

造句 突然發生大地震，劇烈的搖晃把他嚇得呆若木雞，腳發軟跑不動。

7 雞毛蒜皮

解釋 雞身上的毛，蒜頭上的皮。比喻沒有價值，一點都不重要。

造句 他很沒自信，連雞皮蒜毛的小事都要別人幫他做決定。

相關成語參考

鶴立雞群

狗的成語

雞鳴狗盜

狗常與人相伴，和人們生活在一起，關係非常親近，成語中也成為人們生活和際遇的反映，如果連狗都不得安寧，就可想見吵鬧得多劇烈了。

故事時光機

戰國時代，齊國貴族孟嘗君在家中供養了幾千名的門客，對這些人以禮相待，給予優厚的待遇。這些門客也對孟嘗君有情有義，隨時為他效勞，並在危急的時候幫助孟嘗君度過難關。

有一年，孟嘗君出使秦國，帶了一件價值千金，非常高貴的白色狐狸皮做的毛大衣，獻給秦王。

秦王認為孟嘗君是一個見多識廣，有雄才大略的人，希望把他留在秦國做宰相。秦國大臣們知道後，紛紛反對，他們認為孟嘗君是齊王的兄弟，凡事一定先為齊國著想，讓他留在秦國，以後一定會出賣秦國，太危險了。

秦王認為大臣們的話有道理，不能讓孟嘗君做秦國的宰相。但是像孟嘗君這麼有才能的人，如果受到齊國，或是其他國家的重用，讓那些國家壯大起來，同樣也對秦國不利。最後

秦王決定先把孟嘗君囚禁起來，再找機會殺害他。

孟嘗君處境危急，隨時可能失去性命。他打聽到秦王最寵愛的妃子是燕妃，於是派門客去拜託燕妃向秦王求情，放孟嘗君離去。

燕妃說：「孟嘗君送大王的那件白毛皮大衣，我很喜歡，如果孟嘗君也送我一件，我就幫助他。」白狐狸皮大衣罕見又稀少，孟嘗君只有一件，已經送給秦王了，該怎麼辦呢？

在他束手無策的時候，孟嘗君門客中有一位身手像狗一樣靈敏，善於偷盜的人，趁著黑夜悄悄鑽入皇宮的寶庫，將之前送給秦王的那件毛皮大衣偷了出來。孟嘗君將這件大衣再送給燕妃後，燕妃很守信用的向秦王求情，秦王便釋放了孟嘗君。

孟嘗君得到自由後，怕秦王反悔，決定立刻離開秦國，連夜趕路到了邊境。此時天還沒亮，城門緊閉，無法出城，孟嘗君憂心的說：「天亮之後，恐怕秦王又會派出士兵來追捕我。眼前就差這一步，怎麼辦？」

這時一個不起眼的門客走上前，說：「您別擔心，我有辦法讓守城門的士兵提早開門。」這個門客馬上模仿起公雞的啼叫聲，真的公雞聽見了，全都醒了，一起跟著啼叫。守城門的

士兵聽到後，以為天要亮了，就打開了城門。

孟嘗君一行人靠著「雞鳴狗盜」的幫助，順利逃出了秦國。而秦王果然後悔，當他派出追兵來捉拿孟嘗君時，孟嘗君早已平安的離開秦國，再也追不回來了。典源：《史記》

學習藏寶箱

1 雞鳴狗盜

解釋 比喻微不足道的小技能，或指具有這種技能的人。通常形容卑劣低下的人或事。

造句 這些雞鳴狗盜的本領，只能在小事上發揮作用，沒辦法成大事。

2 狗仗人勢

解釋 比喻倚仗著權勢欺壓別人。

造句 他狗仗人勢，利用父親的職權去欺壓別人，很快就遭到檢舉。

3 兔死狗烹

解釋 兔子沒了，捕兔的獵狗也失去作用。比喻事情成功後，有功勞的人被遺棄或迫害。

造句 事業成功後，他竟兔死狗烹，用各種手段逼走了當初一起創業的夥伴們。

4 雞飛狗跳

解釋 把雞嚇得飛起來，狗到處亂跳。比喻受到驚擾而引來的混亂。

造句 他喝醉酒後大吼大叫，鬧得雞飛狗跳，鄰居都不得安寧。

5 雞犬升天

解釋 比喻一個人得到權勢後，親朋好友都跟著得到好處。

造句 他成為公司董事後，親信好友跟著雞犬升天，職位都升級了。

6 雞犬不寧

解釋 連雞與狗都不得安寧。比喻生活受到嚴重的騷擾。

造句 他三更半夜大聲播放音樂，吵得整棟公寓雞犬不寧，很沒公德心。

7 喪家之犬

解釋 比喻不得意，失去依靠，驚慌失神的樣子。

造句 生意失敗後，他有如喪家之犬，精神狀態非常差。

相關成語參考

狗尾續貂、狐群狗黨

鳥的成語

千里鵝毛

自古以來，人們總是羨慕鳥能展翅高飛，自由自在的遨遊天際，這些渴望表現在成語之中，便常帶有高升、高飛，以及無拘無束的意思。

故事時光機

唐朝的時候，每年各地的地方官都會進貢禮品給皇帝。有一年，雲南的地方官派使者緬伯高，帶著一隻白天鵝作為貢品，進京獻給皇帝。

美麗的白天鵝當時是非常珍貴稀罕的禽鳥，緬伯高帶著天鵝從偏遠的雲南到京城長安，路途非常遙遠，一路上他細心保護、照顧著天鵝，希望能平安到達長安，完成任務。

緬伯高經過沔陽湖時，看到天鵝羽毛上沾滿塵土，不是那麼潔白美麗，於是便把天鵝從籠子裡放出來，想在湖中把天鵝清洗乾淨。然而天鵝一離開籠子，沒有划入水中，竟張開翅膀飛了起來，緬伯高急忙伸手想抓住天鵝，卻只抓到一根鵝毛，讓天鵝飛走了。

失去了要進貢給皇帝的天鵝，緬伯高不敢就這樣返回雲南，最後他想了一個方法，他用精緻的綢緞包住天鵝羽毛，並附上一首詩，到京城獻給皇帝。

皇帝看到雲南地區進獻給他一根羽毛，覺得很奇怪，他打開緬伯高的詩，上面寫著：

將鵝貢唐朝，山高路遠遙；沔陽湖失去，倒地哭號號；
上覆唐天子，可饒緬伯高？禮輕人意重，千里送鵝毛。

皇帝知道使者緬伯高進京走了千里遠的路，翻山越嶺只為

了進獻貢品，雖然高貴的天鵝只剩下一根羽毛，但是心意一樣可貴，所以不但不生氣，還很高興的收下了千里鵝毛。典源：《路史》

學習藏寶箱

1 千里鵝毛

解釋　鵝毛指價值不高的東西。比喻來自遠方的禮物，價值不高但情意深重。

造句　收到好朋友從歐洲帶回來的小卡片，雖不貴重，卻有著千里鵝毛的情意。

2 鵬程萬里

解釋　像鵬鳥般高飛。比喻前程光明遠大，前途不可限量。

造句　畢業典禮上，老師祝福同學們鵬程萬里，未來大有作為。

3 鳩占鵲巢

解釋　鳩鳥自己不築巢，卻強占鵲鳥的巢。比喻霸道強橫的享用別人的成果或強占他人地盤。

造句　他本來說暫時借住幾天，沒想到鳩占鵲巢，竟把朋友家當自己家，住下來不走了。

4 聲名鵲起

解釋　鵲鳥迅速振翅高飛。比喻聲望、名譽突然崛起，迅速提升。

造句　得到國際大獎後，他一下聲名鵲起，成為設計界名人。

5 鴉雀無聲

解釋 連烏鴉、麻雀的叫聲都聽不到。形容沒有聲音，非常安靜。

造句 天黑了，大家回房間睡覺後，原本熱鬧的客廳變得鴉雀無聲。

6 杳如黃鶴

解釋 乘鶴而去，沒有蹤影。比喻人離開後，沒有消息。

造句 媽媽很懷念童年時的玩伴，可惜都杳如黃鶴，沒有消息了。

7 閒雲野鶴

解釋 比喻自由自在，不被生活瑣事牽絆。

造句 王爺爺退休之後，過著閒雲野鶴，到處旅行的生活。

相關成語參考

鴻鵠之志、門可羅雀、鳳毛麟角、風聲鶴唳

魚的成語

沉魚落雁

魚一定得生活在水中，不能離開水，水的混濁清澈都會影響到魚，所以魚的成語也不但常和水有關，也與水的狀態有關。

故事時光機

「沉魚」、「落雁」來自兩個不同的人物故事。

「沉魚」是形容春秋時代，越國女子西施的美貌。傳說西施在溪邊洗衣服的時候，溪裡面的魚看到她美麗的容貌，都停

止游動，潛入水底。

「落雁」是形容漢朝王昭君的美貌。漢元帝時，匈奴王請求和親聯姻，建立兩國間和平的關係，漢元帝同意了，封宮女王昭君為永安公主，嫁給匈奴王。

王昭君的容貌非常美麗，當時女子被選入宮中後，都會先由畫師畫一張像，送到皇帝面前。宮女們希望畫師把自己畫得漂亮一點，私下都會先送財物賄賂畫師。

然而王昭君卻沒有這麼做，她不肯賄賂畫師毛延壽，毛延壽便故意把她畫得很醜。皇帝看畫像召見宮女，王昭君被畫醜了，因此從未被皇帝召見過，直到她要嫁給匈奴王時，漢元帝看到王昭君本人，才發現她與畫像完全不同，本人貌美如花。

傳說王昭君離開京城長安，跟隨匈奴王回到北方大漠的途中，想到從此遠離家鄉，悲傷的拿出樂器琵琶彈奏了一首〈出塞曲〉，此時天邊飛過的大雁，看到王昭君思念家鄉的美麗模樣，聽到哀傷的的樂曲，竟忘了拍動翅膀而跌落地面。

後來，人們把這兩個故事合併，用「沉魚落雁」讚美女子的容貌美麗無比。典源：《莊子》、《後漢書》

學習藏寶箱

1 沉魚落雁（ㄔㄣˊ ㄩˊ ㄌㄨㄛˋ ㄧㄢˋ）

解釋 魚見了沉入水裡，大雁見了掉到地上。形容女子容貌美麗出眾。

造句 這位明星不只容貌沉魚落雁，演技也同樣出色精湛，全世界都有她的影迷。

2 魚躍龍門（ㄩˊ ㄩㄝˋ ㄌㄨㄥˊ ㄇㄣˊ）

解釋 古代傳說鯉魚跳過黃河龍門，便會變成龍騰飛升天。比喻登上高位，身分顯貴。

造句 他一夕之間被提拔為重要官員，魚躍龍門，聲勢暴漲。

3 魚遊釜中（ㄩˊ ㄧㄡˊ ㄈㄨˇ ㄓㄨㄥ）

解釋 釜是古代烹煮食物的鍋子。比喻處於困境，危險隨時降臨。

造句 他中了對方的計謀，現在是魚遊釜中，災難馬上就要降臨了。

4 如魚得水（ㄖㄨˊ ㄩˊ ㄉㄜˊ ㄕㄨㄟˇ）

解釋 好像魚和水般契合。比喻得到與自己志趣理想相同的人，或處在適合發展的環境中。

造句 換了新工作後，他如魚得水，很快就發揮才能，有優秀的表現。

5 殃及池魚

解釋 比喻無辜的人受到牽連而遭遇災禍或有所損失。

造句 這兩群人互看不順眼，在街頭上鬥毆，結果殃及池魚，連無辜的路人都被捲入。

6 混水摸魚

解釋 在混濁的水中撈魚。比喻在混亂中謀取不正當的利益，或是工作不認真。

造句 每次分組作業，他總是混水摸魚隨便交差了事，所以同學們都不想跟他一組。

7 過江之鯽

解釋 鯽魚成群的游過江面。比喻人潮往來眾多，或追求時尚流行的人很多。

造句 新的限定款手機一推出，排隊搶購的人如過江之鯽，擠滿了專賣店。

相關成語參考

魚目混珠、漏網之魚、魚肉鄉民

蟲的成語

噤若寒蟬

不同的昆蟲有不同外形和習性，古人觀察之後，發現天氣變冷了，蟬便不鳴叫了；蛾會飛向光亮的地方，這些都變成了成語，用以比喻人事。

故事時光機

漢朝時，大臣杜密個性正直，看到不公義的事情便挺身而出，仗義執言；執法更是公正嚴明，對於犯法的人，即使是權貴人家的子弟，他也秉公處理，絕不會縱容犯人。

杜密剛正不阿，重視法律，不講情面的個性，得罪了許多官員，結果被迫辭去了官職。

杜密離開了京城，回到故鄉潁川。他雖然不再是朝廷官員，卻依然關心國家的發展，常和潁川太守王昱討論天下大事。聽到地方上有賢能的人才，便向太守大力推薦；聽到哪裡有人犯下惡行，便加以揭露，要求太守懲治。

當時潁川還有一位退休返鄉的前官員，名叫劉勝。劉勝回到潁川後，不再過問國家大事。如果有人向他請教對人或對事的看法時，他總是不置可否，不表達任何意見，和杜密完全不

一樣。

日子久了，穎川太守王昱認為杜密意見太多，有一天，杜密又在發表意見時，王昱故意對他說：「唉！劉勝大人退休之後，隱居鄉里，從不批評人事，發表意見，性格高潔，令人景仰。」暗自諷刺杜密太愛多管閒事了。

杜密聽了後，不屑的回應：「劉勝在朝中擔任過重要的官職，退休之後仍有不少人上門拜訪，向他請教，處處受到禮遇。但他知道有品德、有能力的人才卻不推薦，聽到不公義的事也不揭發，只想著顧好自己，不管他人。就像秋天快結束時，蟬都沒有聲音，這種人自私自利，對國家社會毫無貢獻。」王昱聽了杜密這番話後，對自己原先的想法感到慚愧，從此以後不再嫌杜密多事，更尊重他的意見了。典源：《後漢書》

學習藏寶箱

1 噤若寒蟬

解釋 比喻心中有所顧忌，因此不敢說話或表達意見。

造句 他大發脾氣之後，同學們便噤若寒蟬，不敢再對他的作品發表意見了。

2 螳螂捕蟬

解釋 螳螂顧著捕蟬，不知道大鳥在後面也要啄食牠。比喻眼光短淺，貪圖眼前的利益而忽略背後隱藏的危險。

造句 他用盡心機併吞掉對手的公司，卻沒有想到螳螂捕蟬，自己的公司被更大的公司併吞了。

3 飛蛾撲火

解釋 像飛蛾投入火裡。比喻自己走向毀滅之路。

造句 他因為好奇而吸食毒品，以為想戒就能戒，結果是飛蛾撲火，付出了慘痛代價。

4 蜻蜓點水

解釋 比喻敷衍應付，不深入接觸。

造句　這次參觀美術館，他只是蜻蜓點水，隨便看幾眼就離開了。

5 **螻蟻偷生**

解釋　連螻蛄及螞蟻都愛惜生命。比喻人要愛惜生命，好好活著。

造句　雖然得了癌症，但螻蟻偷生，他還是堅強樂觀的過日子。

6 **蛛絲馬跡**

解釋　蛛網的細絲和馬蹄踏過的痕跡。比喻可以提供搜尋、研究的微小線索。

造句　大偵探從犯罪現場中的蛛絲馬跡，推理出犯人的身分，偵破了案件。

7 **蜂擁而上**

解釋　像蜜蜂一樣擁上。形容許多人一起往前進、往前擠的樣子

造句　百貨周年慶特賣一開始，顧客便蜂擁而上，擠滿了搶購人潮。

相關成語參考

金蟬脫殼、蠶食鯨吞、蚍蜉撼樹

其他動物的成語

狡兔三窟

動物的成語，常和牠們的相貌和習性有關，有些動物則有特別的寓意，如「鹿」常用來比喻古代的帝位與政權，爭奪鹿就是比喻在爭奪政權。

故事時光機

戰國時代，齊國宰相孟嘗君家中供養了三千多名食客。其中一個名叫馮諼，由於他沒有表現出特殊才能，被當做最下等的食客招待，供給一些粗茶淡飯而已。

有一天，馮諼靠在柱子上，拍打著他的長劍，說：「長劍呀！我們回去吧！在這裡吃飯時，連條魚都沒有。」孟嘗君知道後，就吩咐手下幫馮諼加魚添菜，更加款待他。

馮諼繼續住了一段日子後，又拍打著他的長劍，說：「長劍呀！我們回去吧！在這裡要出門，連輛車都沒有。」孟嘗君知道後，又吩咐提供車馬給馮諼使用。

但是過了一陣子後，馮諼又拍打著他的長劍，說：「長劍呀！我們回去吧！在這裡不能奉養母親！」其他的食客很厭惡馮諼這種得寸進尺的行為，孟嘗君卻派人去照顧馮諼母親的生

活，讓她衣食無缺，從此馮諼便不再抱怨了。

受到孟嘗君的禮遇之後，馮諼也盡力回報孟嘗君的恩情。孟嘗君受封在薛邑，是薛邑的城主。薛邑許多百姓欠孟嘗君錢，孟嘗君希望有人幫他去把這些欠款收回來。馮諼自願接下這個工作。

要出發去薛邑收債時，馮諼問孟嘗君：「錢收回來後，要買什麼？」孟嘗君說：「你看看我這裡缺少什麼，就買什麼回來吧！」

馮諼到了薛邑後，把欠債的百姓全部召集過來。大家都很害怕，不知道還不出錢來，會受到怎麼樣的懲罰。

沒想到，馮諼把所有的借據收集齊全後，對大家說：「孟嘗君體恤家鄉父老生活的辛苦，這些債務現在一筆勾銷，都不用還了。」接著馮諼當著大家的面，把所有的借據燒光，百姓們見了都高聲歡呼，感激孟嘗君的恩德。

孟嘗君見馮諼很快就從薛邑收債回來了，問他：「你辛苦了，買了什麼東西回來？」馮諼說：「您說買您缺少的東西。我認為您家中珠寶成堆，什麼都不缺，所以我用所有的欠款，幫您買了『義』回來。」

孟嘗君疑惑的問：「買『義』？『義』要怎麼買？」

馮諼說：「我對百姓說您不再追討大家欠您的錢，讓大家能好好生活，這就是我為您買的『義』！」孟嘗君聽了後很不高興，但借據都已經燒光，也沒辦法了。

一年後，孟嘗君被齊王免除了宰相的職務，失意的離開國都，回到自己的領地薛邑。他的車隊在離薛邑還有百里遠的時候，薛邑的百姓便扶老攜幼，在城外迎接孟嘗君，感激他免除欠債的恩情。孟嘗君見了後，感動的對馮諼說：「先生為我買的『義』，今天終於看到了。這比再多的金銀珠寶都有價值。」

馮諼說：「聰明的兔子會準備三個藏身的洞窟，才可以逃過獵人的追捕，免於一死。受到百姓的愛戴，只是第一窟，還不夠。我要再為你準備另外兩窟才安全！」

接著馮諼去見梁王，對他說孟嘗君是治理國家的好人才，如果能請孟嘗君來協助治理梁國，梁國一定國富兵強。

梁王見孟嘗君深受百姓的愛戴，立刻派遣使者，帶著貴重的金銀珠寶請孟嘗君到梁國做宰相，但是馮諼要孟嘗君不能接受。就這樣梁國使者來了三次，孟嘗君都拒絕了。

齊王知道後，發現孟嘗君不但受到百姓的擁護，連其他國

家的國君都想重用他，趕緊向孟嘗君道歉，請他再次擔任齊國的宰相。

此時馮諼對孟嘗君說：「再次成為宰相，就是第二窟了。接下來您要請求在薛邑興建奉祀王室祖先的宗廟，這樣薛邑就會成為齊國最重要的城市，可長保安康了。」

孟嘗君遵照馮諼的建議去做。宗廟建好後，馮諼對孟嘗君說：「三窟已經完成，您現在就像狡兔一樣，有三處藏身的地方，沒有人可以再威脅您的地位，從此高枕無憂了！」典源：《戰國策》

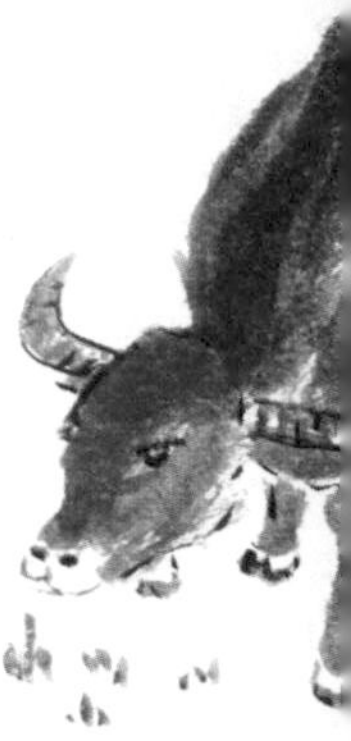

學習藏寶箱

1 狡兔三窟

解釋 狡猾的兔子有三處藏身的洞穴。比喻有多處藏身的地方或多種避禍的準備。

造句 這個通緝犯以為狡兔三窟，就能逃過警方的追捕，沒想到法網恢恢，還是被逮捕歸案了。

2 兔走烏飛

解釋 古代傳說月亮中有玉兔，太陽裡有金烏；比喻日升月落，光陰快速流逝。

造句 彷彿才剛上小學，轉眼間兔走烏飛，到了畢業的時刻。

3 羊質虎皮

解釋 羊披上了老虎皮，本性還是溫馴膽小。比喻只是外表看起來強大，內在卻很虛弱。

造句 不要被他大吼大叫的樣子嚇到，其實他是羊質虎皮，非常膽小怕事的人。

4 歧路亡羊

解釋 岔路太多，因此找不回走失的羊。比喻方向太多，方向錯誤的話，最後將一無所得。

造句 志向太多時，小心歧路亡羊，不知道自己到底要做什麼。

5 鹿死誰手

解釋 鹿是古代狩獵時的主要獵物，常用來比喻政權。現比喻競爭比賽，誰能取得最後的勝利。

造句 這兩支隊伍實力相當，各有優勢，最後鹿死誰手很難預測。

6 投鼠忌器

解釋 想要投擲老鼠，卻怕砸到旁邊的器物而不敢下手。比喻想要除害，卻有所顧忌而不敢執行。

造句 這個金融弊案涉案層級雖高，但檢察官說絕不會投鼠忌器，一定徹查到底。

7 狼狽不堪

解釋 狼、狽相傳是兩種外形很相似的動物。比喻陷入困境，身心疲憊的樣子。

造句 他在大雨中跌了一跤，全身溼透，衣服上也沾滿了泥巴，整個人狼狽不堪。

相關成語參考

守株待兔、一丘之貉、井底之蛙、鷸蚌相爭、盲人摸象、狼狽為奸

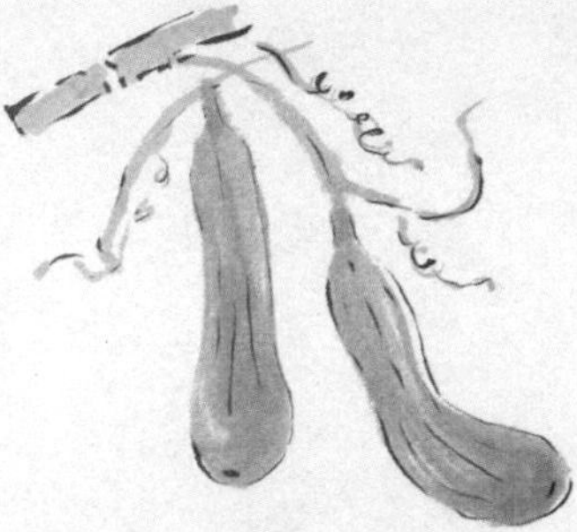

植物篇

草的成語

草木皆兵

草看起來細小柔弱，但穩固的向下扎根，這樣堅韌不拔的特質，常使用在成語之中。而草會隨風搖擺，隨著風吹的方向和力道改變，成語中也常與風連用。

故事時光機

東晉的時候，前秦王苻堅統一北方後，親自率領八十萬大軍攻打東晉，想要稱霸中原。

前秦的大臣們紛紛勸阻苻堅：「大王，東晉雖然弱小，但

君臣上下一心，又有長江作為天然的屏障，不容易攻陷。希望大王三思。」

然而苻堅卻自負的說：「我有八十萬大軍，這些士兵一起把手中的馬鞭丟進長江中，就可以堵住長江的水流，還擔心什麼天險？」

苻堅率領大軍南侵，進逼到淝水邊，東晉的宰相謝安下令派謝石、謝玄兩人率領八萬名精兵迎戰。謝玄認為前秦兵力雄厚，正面交戰一定打不贏，於是趁著黑夜，帶領五千名精兵用奇計偷襲，一下便殲滅了數萬名前秦士兵。

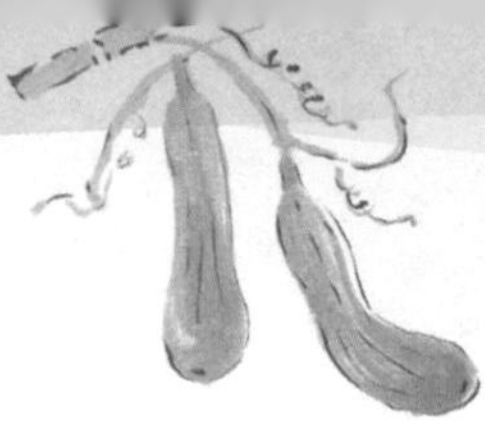

晉軍在淝水東岸八公山邊紮營，與前秦大軍隔著河岸對峙。苻堅接到被偷襲，打了敗仗的報告後，登上城樓觀察駐紮在八公山的晉軍。

他見晉軍隊伍整齊，將士們鬥志高昂，不禁有些膽怯，竟把八公山上那些被風吹動的草木，都看成了晉兵，冒出一身冷汗，神色慌張的對弟弟苻融說：「誰說晉國弱小，兵力不足？你看八公山上竟埋伏著這麼多軍隊。晉軍比我預期的還要多很多。」

苻堅想要速戰速決，儘快消滅東晉，最後反而中了謝玄的

計謀。在軍心大亂的情況下，謝玄又派間諜繞在前秦軍後方，大喊：「不好啦！不好啦！打敗仗、打敗仗了！大家快逃啊！」後方的前秦士兵以為真的戰敗，一下軍心渙散，大家急著逃跑，又遭到了晉軍的突擊，傷亡慘重。苻堅帶大軍攻打晉國，結果大敗，「淝水之戰」也成為了歷史上以寡擊眾，取得壓倒性勝利的著名戰役。典源：《晉書》

學習藏寶箱

1 草木皆兵（ㄘㄠˇ ㄇㄨˋ ㄐㄧㄝ ㄅㄧㄥ）

解釋　見到風吹草動，都以為是敵兵。比喻精神緊張，一有動靜，便疑神疑鬼，驚恐不已。

造句　他犯罪逃亡的過程中，整天草木皆兵，隨時以為警察會出現逮捕他。

2 草菅人命（ㄘㄠˇ ㄐㄧㄢ ㄖㄣˊ ㄇㄧㄥˋ）

解釋　殺人跟割草一樣簡單。比喻輕視人命，任意殘害的行徑。

造句　恐怖分子在市區引爆炸彈，草菅人命的行為，引起了公憤。

3 斬草除根（ㄓㄢˇ ㄘㄠˇ ㄔㄨˊ ㄍㄣ）

解釋　將雜草連根拔除。比喻澈底消滅禍亂來源，不留後患。

造句　為了遏阻疫情，一定要斬草除根，澈底消滅病毒來源才行。

4 風吹草動（ㄈㄥ ㄔㄨㄟ ㄘㄠˇ ㄉㄨㄥˋ）

解釋　風輕輕吹過，草便會搖動。比喻輕微的動靜變化。

造句　一個人在家時，一點風吹草動，他都會很緊張，希望家人趕快回來。

5 風行草偃（ㄈㄥ ㄒㄧㄥˊ ㄘㄠˇ ㄧㄢˇ）

解釋　風一吹，草就順著風的方向倒。比喻人民順從有益、良好的政策。

造句　新政策推出後，很快便風行草偃，落實在民眾生活中。

6 疾風勁草（ㄐㄧˊ ㄈㄥ ㄐㄧㄣˋ ㄘㄠˇ）

解釋　經過猛烈狂風的吹襲，才知道小草的堅韌。比喻在艱難困苦的環境下，才能考驗出人的意志與節操。

造句　他一生的奮鬥，如疾風勁草般堅毅，精神讓人敬佩。

7 結草銜環（ㄐㄧㄝˊ ㄘㄠˇ ㄒㄧㄢˊ ㄏㄨㄢˊ）

解釋　結草、銜環來自古代兩個報恩故事。形容受人恩惠深重，一生努力報答。

造句　你及時伸出援手救命的恩情，我一定結草銜環報答，終生不忘。

相關成語參考

寸草春暉

木的成語

入木三分

樹木質地堅硬，外形質樸，生命力強，壽命長，這些特質在成語中運用很廣，可以用來形容人的高大挺拔，也可以形容意志堅定。

故事時光機

王羲之是晉朝著名的書法家，他七歲開始跟著書法家衛夫人學習寫書法。衛夫人指導王羲之兩、三年之後，發現王羲之在書法上不凡的天賦與熱忱，曾對王羲之的父親讚嘆說：「這

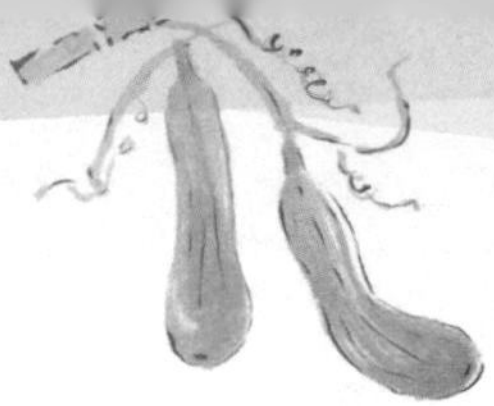

孩子將來的成就一定在我之上。」

有一次，王羲之在家中看到一本研究書法的書，立刻全神貫注的讀了起來。他的父親看到後，對他說：「你的年紀還小，這本書的內容太艱深了，等你長大後再讀吧！」

王羲之請父親讓他讀完這本書，他說：「父親，學習的心不分年紀大小，現在就可以學習的東西，為什麼要等到以後呢？」王羲之的父親聽了後，便把書還給他，讓他繼續研究。

王羲之每天勤練書法，傳說他每次寫完書法後，便到家門前的水池清洗毛筆、硯臺。日子久了，池水都被墨染成了黑色，人們稱為「墨池」。

在書法上不斷精益求精的王羲之，書法造詣到了爐火純青的境界。有一次，皇帝在北郊舉行祭祀儀式，派人請王羲之先把祝祭文寫在木板上。後來要更換祝祭文的木板，工人們在削去王羲之寫過的祝版時，發現他的筆跡竟然透入木板，有三分這麼深！由此可見王羲之雄厚強健的筆力。

寫書法入木三分的王羲之，他的作品至今仍是書法藝術中的無價之寶，更是世人臨摹的最佳範本，被後人尊稱為「書聖」。典源：《筆陣圖》

學習藏寶箱

1 入木三分

解釋 筆跡竟然透入木板有三分之深。形容書法的筆力遒勁。

造句 (1) 書法大師筆力渾厚，每個字都入木三分，讓人讚嘆。

解釋 (2) 比喻評論深刻或描寫生動逼真。

造句 這篇小說把主角個性、心境的轉變，刻劃得入木三分，得到了優勝。

2 槁木死灰

解釋 形容遭受挫折災禍，灰心絕望的樣子。

造句 遭到好友的嚴重背叛後，他如槁木死灰，變得憂鬱又消沉。

3 枯木逢春

解釋 春天時乾枯的樹木重新恢復生命力。比喻絕境之中出現轉機，惡劣的情勢忽然轉好。

造句 這個兒童保護機構突然收到一大筆善心捐款，如枯木逢春般解決了差點關門的危機。

4 緣木求魚

解釋　爬到樹上抓魚。比喻做事用錯方法，白忙一場還是達不成目的。

造句　他總說自己要做大事，賺大錢，卻整天在家睡覺發呆，想成功根本是緣木求魚。

5 獨木難支

解釋　不是一根木頭能支撐住。比喻事情非常重大，只靠一個人的力量難以完成。

造句　這個任務獨木難支，要靠整個團隊同心協力才可能成功。

6 行將就木

解釋　比喻人年紀大，生命快要結束。

造句　他年紀老邁，行將就木，需要有人照料，不能再獨居了。

7 木人石心

解釋　木做的人，石造的心。比喻意志堅定，不受任何外在事物的影響，或形容人冷酷無情。

造句　這部難民生活的紀錄片，大家看了都感觸很深，只有他木人石心，沒有感覺。

相關成語參考

玉樹臨風

花的成語

人面桃花

不同的花有不同的特色和美麗，如曇花開放之後，很快便凋謝了。花運用在成語中，大多和它美麗嬌柔的模樣有關，常用花來比喻人的嬌美。

故事時光機

唐朝的時候，有一年清明節，才子崔護獨自到都城長安南邊的郊外去踏青賞花，欣賞風景。

崔護走著走著，覺得口渴，他看到前面有一戶桃花盛開的

農家，便走過去敲了敲這戶人家的門。

一位容貌非常美麗的女子走了出來，問：「你是誰？有什麼事？」崔護禮貌的報上姓名，對女子說：「我來這裡遊玩，覺得口渴，可以給我一杯水嗎？」

女子回到屋裡，拿了一杯水出來給崔護，然後站在開滿了花的桃樹旁，靜靜的等崔護喝完。桃花下的美麗容顏，在崔護心中留下深刻的印象。崔護回家之後，對這位女子念念不忘，常常想起她。

第二年清明節，崔護又回到那個地方，再去農家想拜訪這

位女子，然而這戶人家卻大門深鎖，沒有人回應。崔護看著屋外桃花和去年一樣美麗盛開，女子卻已不見蹤影，觸景生情的在門上題了一首詩：

去年今日此門中，人面桃花相映紅。
人面不知何處去？桃花依舊笑春風。

崔護用詩表達沒有再見到女子的惆悵心情後，黯然離去。傳說女子見過崔護後，同樣對他念念不忘，她回家後，看到門

上崔護題的詩，也很想再見一面，最後兩人再相見，有情人終成眷屬，結為了夫妻，留下了「人面桃花」的浪漫佳話。典源：〈題都城南莊〉

學習藏寶箱

1 人面桃花

解釋　形容女子容貌美麗，或形容景色沒有改變，但人、事已不同的感傷。

造句　第一次見到她時，他便被那人面桃花的美麗容顏深深吸引。

2 出水芙蓉

解釋　水面初開的荷花。比喻詩文清新脫俗或女子容貌嬌美。

造句　即使在一大群人之中，她還是如出水芙蓉般亮眼。

3 舌粲蓮花

解釋　形容人很會說話，口才很好。

造句　這次的晚會，主持人舌粲蓮花，逗得觀眾哈哈大笑。

4 曇花一現

解釋　曇花開放後很快凋謝。比喻稀有難得，一出現便迅速消失。

造句　這個大明星退出影壇後，行蹤如曇花一現，很少有人再見過他。

5 移花接木

解釋　比喻暗中使用不實的手法，以假的換成真的，欺騙他人。

造句　網路上很有多不實資訊和移花接木的假照片，我們要有辨別真假的能力。

6 落花流水

解釋　流水帶走凋落的花。或形容零落雜亂，澈底失敗的樣子。

造句　這次的機器人大賽，甲隊的機器戰士一上場就把對手打得落花流水。

7 錦上添花

解釋　在已有彩色花紋的絲織品上繡上美麗的花朵。比喻美上加美，喜上加喜。

造句　他的成就已是天下知名，再得這個獎，不過是錦上添花。

相關成語參考

柳暗花明、夢筆生花、天花亂墜、借花獻佛

果實的成語

橘化為枳

植物開花之後才能結果，果實的成熟需要一段時間，成熟之後才可以食用，所以和「果」有關的成語也有「成熟」和「得到結果」的意思。

故事時光機

春秋時代齊國宰相晏嬰，一生輔佐了三位國君，是一位優秀的政治家與外交家。

有一次晏嬰代表齊國出使楚國，楚王想要展現楚國的強

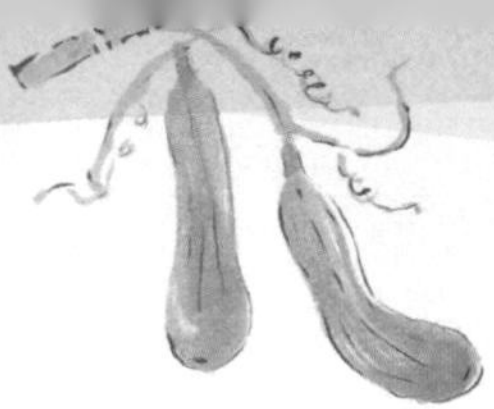

大，貶低齊國，故意安排了一個計畫。在接待晏嬰的酒宴上，兩個士兵押著一個犯人來到楚王面前，讓楚王審問。

楚王故意問：「這是哪裡人？」士兵回答：「齊國人。」

楚王再問：「這個人犯了什麼罪？」士兵回答：「竊盜罪。」

楚王看著晏嬰，不懷好意的說：「齊國人天生愛偷盜嗎？」

聰明過人的晏嬰，立刻明白這是楚王的計謀，他站起來，態度莊重，語氣嚴肅的回答：「我曾經聽人家說過，生長在淮河南邊的橘樹，結出的果子又大又甜；可是把橘樹遷到淮河北邊栽種後，就不叫橘樹而稱為枳樹，結出的果子變得又小又酸。這是什麼原因呢？水土不同的緣故。就像這個人在齊國的時候，不會偷盜，到了楚國後變得會偷盜，莫非是楚國不良的風俗環境影響了這個人，讓他變得會偷盜了？」

晏嬰一番話，維護了齊國的形象，也讓楚王尷尬不已，不知道該怎麼回應，反而讓楚國難堪了。典源：《晏子春秋》

學習藏寶箱

1 橘化為枳

解釋 比喻同樣的東西，會因為環境和外在條件的不同而有所變化。

造句 換了一所新學校，交了一群新朋友後，橘化為枳，他的言行舉止和過去有很大的不同。

2 瓜田李下

解釋 經過瓜田時，不彎身穿鞋；走過李樹下面，不舉手整理帽子，以免讓人以為想偷瓜摘李。比喻容易引起懷疑的場合，遭受質疑。

造句 這次的比賽，為了避免瓜田李下，評審委員的家人親屬都不能參加。

3 瓜熟蒂落

解釋 瓜成熟後瓜蒂便會脫落。比喻時機成熟，事情自然圓滿成功。

造句 這個跨國開發案，在多年努力之下，終於瓜熟蒂落，成功展開了。

4 瓜瓞綿綿

解釋 大大小小的瓜繁衍不絕。比喻子孫繁盛，世代相繼久遠。

造句　他們家四代同堂，瓜瓞綿綿，是個熱鬧的大家族。

5 滾瓜爛熟（ㄍㄨㄣˇ ㄍㄨㄚ ㄌㄢˋ ㄕㄡˊ）

解釋　熟透的瓜滾落到地上。比喻極為純熟流利。

造句　他喜愛《三國演義》，看了上百遍，每個人物和情節都滾瓜爛熟。

6 碩果僅存（ㄕㄨㄛˋ ㄍㄨㄛˇ ㄐㄧㄣˇ ㄘㄨㄣˊ）

解釋　唯一保留下來的大果實。比喻目前唯一仍然存在的人或事物。

造句　這個民俗技藝即將失傳，只剩一位碩果僅存的老師傅了。

7 自食其果（ㄗˋ ㄕˊ ㄑㄧˊ ㄍㄨㄛˇ）

解釋　自己吃自己種的果實。比喻自己做的事，自己承受後果。

造句　他整天滑手機，年紀輕輕就高度近視，真是自食其果。

相關成語參考

望梅止渴、投桃報李、桃李滿門、讓棗推梨、囫圇吞棗

其他植物的成語

罄竹難書

古時候在紙張還沒有發明之前，古人是用竹子剖削成竹片，在上面刻寫文字，稱為「竹簡」，所以成語中的「竹」也從植物的竹子，變成了竹片、竹簡的意思。

故事時光機

隋朝末年，隋煬帝楊廣登基後，從各地徵調了百萬名的民工，修建大運河，方便他坐船到處去遊山玩水，又召集百萬名壯丁組成軍隊，攻打高句麗。巨大的工程建設和連年的戰爭，

導致百姓沒辦法好好生活，苦不堪言。

不只如此，隋煬帝為了享受奢侈的生活，還大肆搜刮百姓的財產，有朝中的大臣勸諫他愛護百姓，不要沉迷在玩樂中，他不但不聽從，反而處斬了提出諫言的大臣。從此之後，再也沒有人敢勸告他了。

隋煬帝作惡多端的結果，終於引發了人民的反抗行動，各地的有志之士紛紛起義，想要推翻暴政。

當時有一個人名叫李密，是瓦崗軍的首領，他積極的聯合各地起義軍共同推翻隋朝，匯集了極大的力量。

在進攻隋朝的首都洛陽時，李密認為隋煬帝不知愛護百姓，讓百姓過著暗無天日的生活，於是發表了一篇著名的檄文聲討隋煬帝。

檄文中李密歷數隋煬帝的罪狀，說：「罄南山之竹，書罪未窮；決東海之波，流惡難盡。」意思是就算砍光南山上的竹子，做成書寫的竹簡，也寫不完他的罪行；把東海的水全部舀出來，也洗不清他的罪惡，實在是罪大惡極！

這篇檄文出來後，人們爭相傳閱，推翻隋朝暴政的的聲浪不停高漲，隋朝很快便滅亡了。典源：《舊唐書》

學習藏寶箱

1 罄竹難書

解釋　形容人罪狀極多，罪惡深重。

造句　這個暴力討債集團的惡行，罄竹難書，各個都被判了重刑。

2 胸有成竹

解釋　畫竹子之前，心中早已有竹子完整的形象。比喻做事之前，已有周詳的計畫與安排，很有自信。

造句　這次的程式設計大賽，哥哥說他胸有成竹，一定會得冠軍。

3 雨後春筍

解釋　筍子在春雨過後長得又多又快。比喻事物在某一時期大量湧現，迅速發展。

造句　這條街上的手搖飲店，如雨後春筍般，一家接著一家開張，每家生意都很好。

4 藕斷絲連

解釋　蓮藕折斷了，藕絲仍相連在一起。比喻表面上關係斷絕，背地裡仍有牽連。

造句　這對情侶分手之後，還是藕斷絲連，最後又復合了。

5 李代桃僵

解釋　李樹代替桃樹受蟲蛀而枯死。比喻替人頂罪，代替別人承受不好的後果。

造句　他李代桃僵替朋友頂罪，結果還是被警方識破真相，找出了真正的犯人。

6 指桑罵槐

解釋　指著桑樹罵槐樹。比喻表面上在指責這個，其實在罵那個。

造句　他這樣指桑罵槐，即使不明講，大家也都聽得出是在說誰。

7 披荊斬棘

解釋　劈開荊，斬開棘。比喻克服困難、排除障礙。

造句　畢業之後，他回家務農，披荊斬棘的開拓出這一大片的有機農地。

相關成語參考

勢如破竹、負荊請罪

身體篇

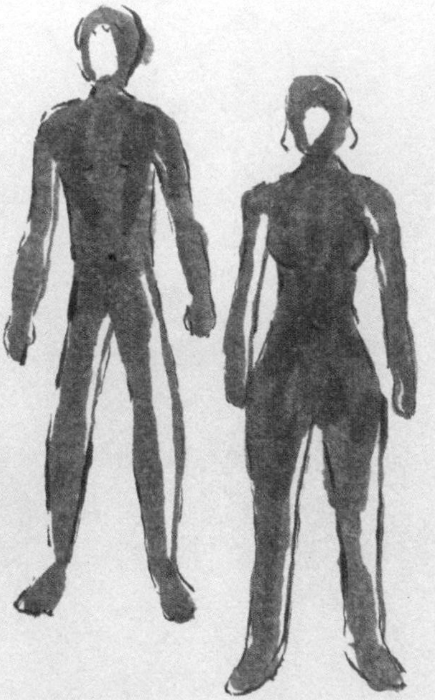

心的成語

嘔心瀝血

主宰人的思想與感情的是大腦，但成語中常用「心」代替「腦」，用心來表示思想、思考或是喜悅、傷心、痛苦等情緒感受。

故事時光機

唐朝的時候，有一位著名的詩人名叫李賀，從小便展現出過人的才華，七歲時就能作詩、寫文章，大家都叫他「神童」。

當時著名的文學家韓愈和皇甫湜聽說這件事後，特地去李賀家拜訪，李賀當場便作了〈高軒過〉這首詩，描寫韓愈、皇甫湜貴客上門拜訪的情景，寫得非常好。韓愈和皇甫湜非常驚訝，對七歲的李賀讚揚有加，李賀的名聲從此傳揚開來。

李賀作詩的方式很特別，並不是先訂好一個題目，再思索內容怎麼寫，而是每天早上騎著馬，帶著一個小隨從，背著一個小袋子，到外面四處去走走看看。

路上李賀只要一有靈感，馬上寫在紙上，再把紙放入袋子中，直到太陽下山後才回家。回到家後，晚上李賀會把寫在紙上的詩稿拿出來，作成完整的詩篇，寫好後他便不會再看自己

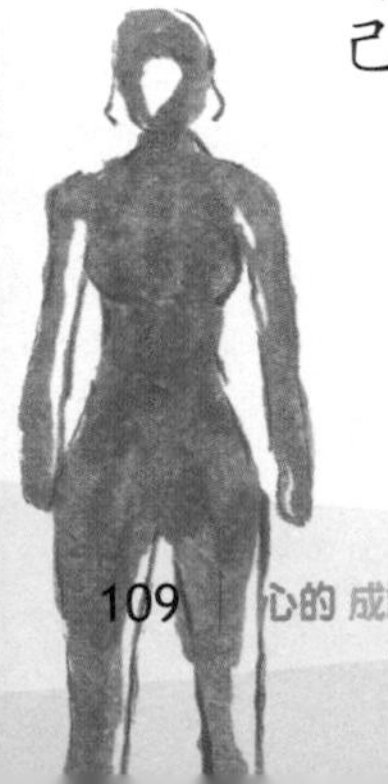

寫過的詩了。

李賀幾乎每天都這樣到處找靈感，再寫成詩篇。有一次，李賀的母親把他投入袋子中的詩稿拿出來，發現數量很多，滿滿一袋。李賀的母親心疼兒子整天勞心於創作，又氣又急的說：「唉！我的兒子大概要把心吐出來才會停止寫詩吧。」

由於李賀創作的詩歌很多都是以鬼神為題材，風格瑰麗，意境奇特，所以後人又稱他為「詩鬼」。典源：《新唐書》

學習藏寶箱

1 嘔心瀝血

解釋　吐出心，滴盡血。比喻費盡心血，用盡心思才完成的事。

造句　這部歷史小說，是作者用了十年光陰，嘔心瀝血創作出來的巨作。

2 心血來潮

解釋　指心中一時興起，突然產生的想法或念頭。

造句　星期天一起床，爸爸便心血來潮的說要帶大家上山賞花。

3 心悅誠服

解釋　形容誠心誠意的敬佩與服從。

造句　經過他有條有理的說明之後，對手心悅誠服的接受了他的意見。

4 別出心裁

解釋　比喻獨創一格，不同於一般的創意或巧思。

造句　這個新商品設計別出心裁，巧思和實用兼備，一上市就熱賣。

5 痛心疾首

解釋　形容傷心、痛恨或怨恨到極點的樣子。

造句　一想起傷心往事，他就痛心疾首，整夜睡不著。

6 得心應手

解釋　心裡怎麼想，手便能怎麼做。比喻技藝熟練，能運用自如或做事進展順利。

造句　他換了新工作後，很快便得心應手，表現出色。

7 刻骨銘心

解釋　形容感受或記憶極為深刻，永難忘懷。

造句　從小陪在他身邊的小狗離世了，回憶刻骨銘心，難以忘懷。

相關成語參考

見獵心喜、心花怒放、心有餘悸、提心吊膽、人心惶惶、憂心忡忡、心曠神怡、洗心革面、鉤心鬥角、語重心長

手的成語

手不釋卷

手是用來做事的，幾乎大部分的工作都必須靠手來完成，所以手的成語也常和做事情或作法有關。

故事時光機

東漢末年，魏王曹操雄才大略，是當時著名的政治家、軍事家。曹操不只在政壇上居於領袖的地位，也是優秀的文學家和詩人，流傳下許多詩歌。

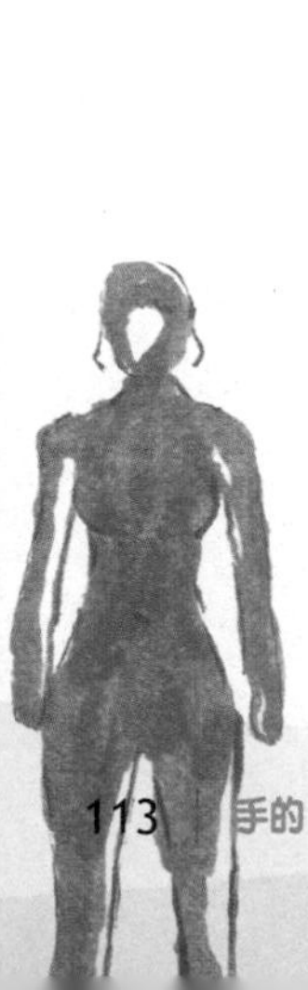

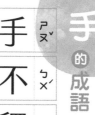

曹操過世後，他的大兒子曹丕繼承父親魏王的封號與丞相的權勢，也跟他的父親曹操一樣喜愛文學，是當時著名的文學家，寫過許多的詩歌、散文和辭賦，同時曹丕更加重視文學的發展。

曹丕的弟弟曹植，是才氣過人的詩人。曹操、曹丕、曹植父子三人，並稱為「三曹」，推動了當時文學的蓬勃發展，功勞很大。

曹丕回憶父親時，曾這麼說：「父親平日喜愛閱讀詩書文籍，即使身在軍隊之中，軍務繁忙，手中仍然隨時拿著書本閱讀，充實自己。」又說：「每天早晚我向父親請安問好時，他常告訴我：『一個人年輕的時候思慮專一，學習效果最好。等到年紀越來越大，容易忘記學過的東西，便漸漸不再有勤奮學習的心了。』」

曹操勉勵曹丕把握時間勤學，年輕時多看書，長大了之後也要和他一樣持續學習。曹丕將父親的話謹記在心，同樣手不釋卷，勤於閱讀。典源：《典論》

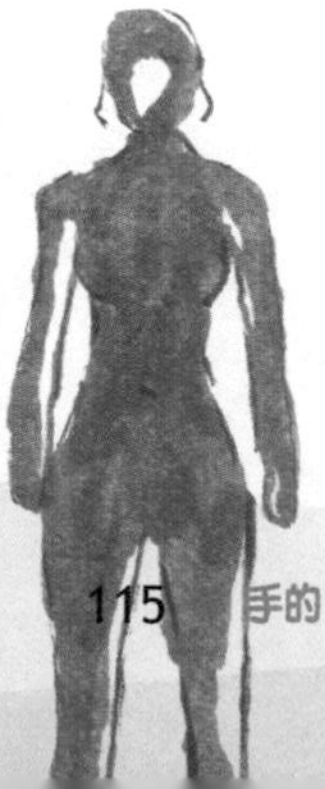

學習藏寶箱

1 手(ㄕㄡˇ)不(ㄅㄨˋ)釋(ㄕˋ)卷(ㄐㄩㄢˋ)

解釋　手中總是拿著書卷。形容人勤奮好學。

造句　他喜愛閱讀，總是手不釋卷的學習各種新知。

2 炙(ㄓˋ)手(ㄕㄡˇ)可(ㄎㄜˇ)熱(ㄖㄜˋ)

解釋　手靠近就覺得很熱。比喻目前地位尊貴顯要的人；或是廣受歡迎，名聲響亮的事物。

造句　這部浪漫影集推出後大受歡迎，男女主角也成為了炙手可熱的紅星。

3 唾(ㄊㄨㄛˋ)手(ㄕㄡˇ)可(ㄎㄜˇ)得(ㄉㄜˊ)

解釋　往手上吐口水。比喻事物很容易得到。

造句　網路上各種資訊唾手可得，要能分辨真假，不能什麼都信。

4 妙(ㄇㄧㄠˋ)手(ㄕㄡˇ)回(ㄏㄨㄟˊ)春(ㄔㄨㄣ)

解釋　頌揚醫師醫術高明，能治好重病，也比喻將頹勢扭轉過來。

造句　張醫師救治了許多性命垂危的病人，是妙手回春的神醫。

5 束手無策

解釋　面對問題時，完全沒有解決的辦法。

造句　醫學雖然發達，對新病毒還是束手無策，需要時間找出對抗的方法。

6 袖手旁觀

解釋　手放在袖子在一旁觀看。形容對事情不理會也不干涉。

造句　突然發生車禍，有人熱心過去幫忙，有人卻袖手旁觀，反應各不相同。

7 遊手好閒

解釋　形容人整天遊蕩，懶惰貪玩不做正事的樣子。

造句　他整天遊手好閒，不讀書也不想工作，浪費了大好的青春時光。

相關成語參考

一手遮天、手舞足蹈、躡手躡腳

眉的成語

舉案齊眉

眉毛沒有什麼特殊的功能，卻極能表現出人內心的情緒和感受，運用眉毛的成語，常讓情緒展現更加鮮明。

故事時光機

漢朝的時候，有一個讀書人名叫梁鴻，他個性耿直，重視氣節，不願意做官，在鄉里間過著隱居的生活。

梁鴻雖然不富有，但學問好，品德也很高尚，鄉里中許多人家都想把女兒嫁給他，但梁鴻都不答應。

當時鄉中的富人孟氏有一個女兒，名叫孟光，知書達禮，卻一直不願意嫁人，她的父母問她喜歡什麼樣的人時，孟光說：「要嫁就要嫁像梁鴻那樣賢德的人。」梁鴻聽說了之後，就託人做媒，娶孟光為妻。

孟光剛嫁給梁鴻時，天天穿著絲綢做的美麗衣裳，戴著昂貴的飾品，梁鴻卻一連七天都不跟她說話。

孟光問梁鴻：「不知道我做錯了什麼事情，讓你不滿意？」

梁鴻說：「我希望我的妻子是能夠穿著粗布衣裳，和我一起耕

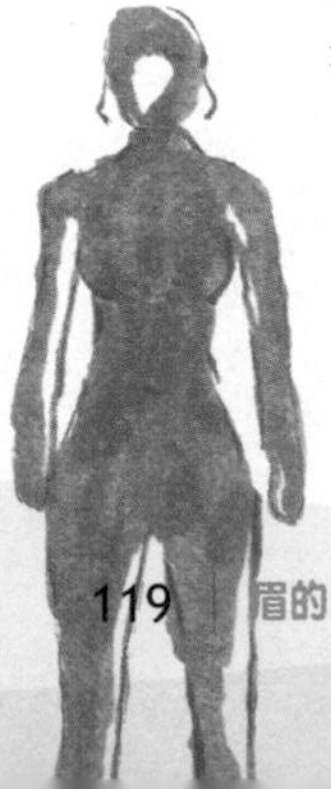

田種地的人。」

孟光從此之後不再穿名貴的綾羅綢緞，跟著梁鴻一起耕種、工作，空閒的時候便一起讀書、彈琴，夫唱婦隨，非常快樂。

後來，兩人移居吳地，借住在皋伯通的家中。梁鴻平日受僱為人舂米，每當工作結束返家後，妻子孟光便將飯菜放置在木盤中，高舉木盤到眉毛的位置，低著頭端到梁鴻面前，請他用餐，表現出對丈夫的敬愛，梁鴻也很有禮貌的接受。

皋伯通看到梁鴻受僱為人幫傭，他的妻子卻如此敬重他，

認為他一定是一個非凡出眾的人物，從此之後也非常看重他。

梁鴻與孟光夫妻倆相敬如賓，留下了舉案齊眉的美談。

典源：《東觀漢記》

學習藏寶箱

1 舉案齊眉

解釋　比喻夫妻恩愛，互相敬重。

造句　他們結婚多年來，始終舉案齊眉，感情美滿又融洽。

2 揚眉吐氣

解釋　眉毛舒展，吐出胸中的悶氣。形容擺脫長期壓抑後舒暢快樂的神情。

造句　經過數十年不斷的實驗研究，終於成功了，他總算可以揚眉吐氣。

3 燃眉之急

解釋　像火要燒到眉毛般緊迫。形容事態嚴重，情況危急。

造句　澳洲森林大火蔓延，解救失去家園的動物們已是燃眉之急。

4 愁眉苦臉

解釋　形容人緊皺著眉頭，神色憂傷、愁苦的樣子。

造句　明天就要交報告了，哥哥愁眉苦臉的坐在書桌前，還是想不出要怎麼寫。

5 擠眉弄眼（ㄐㄧˇ ㄇㄟˊ ㄋㄨㄥˋ ㄧㄢˇ）

解釋　擠弄眉毛和眼睛表達意思，或向人暗示。

造句　他不斷擠眉弄眼，暗示我到外面去，有話對我說。

6 喜上眉梢（ㄒㄧˇ ㄕㄤˋ ㄇㄟˊ ㄕㄠ）

解釋　形容喜悅的心情流露在眉宇之間。

造句　錄取了理想的科系，姊姊喜上眉梢，到處宣告這個好消息。

7 迫在眉睫（ㄆㄛˋ ㄗㄞˋ ㄇㄟˊ ㄐㄧㄝˊ）

解釋　形容事情近在眼前，非常急迫。

造句　這件事迫在眉睫，不能耽擱，要馬上處理。

相關成語參考

眉飛色舞

眼睛的成語

目光如炬

眼睛是視覺器官，用來看東西，成語中常用單字「目」來表示，而除了「看」的意思外，更常引申出眼光、識見的意思。

故事時光機

南北朝時期，占據南方的南朝宋和占據北方的北魏都想要征服對方，統一天下。

北魏不只一次大舉派兵渡過黃河，進攻宋國。宋文帝派遣

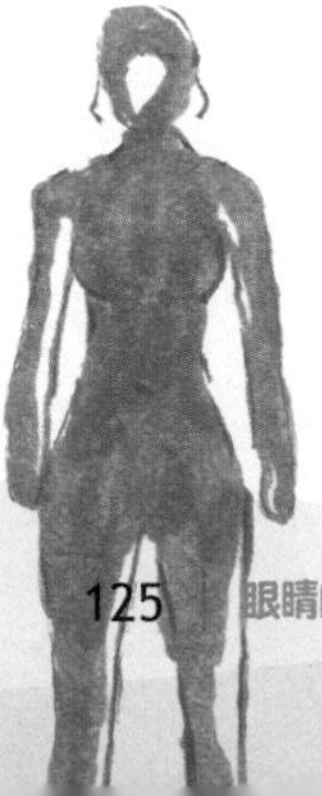

大將軍檀道濟率兵抵抗。檀道濟曾打了三十幾場的勝仗，保護國家和百姓的安全。

大將軍檀道濟立下了保家衛國的汗馬功勞，深受百姓的信任與愛戴，他的幾個兒子也都掌握兵權，一家人聲威和權勢很大，因此惹禍上身，引起宋文帝的猜忌，擔心有一天檀道濟會篡位，取代他當皇帝。

宋文帝身邊的親信大臣們知道他的憂心後，便以討論國家大事為理由，傳喚檀道濟進宮，再趁這個機會以圖謀造反的罪名把他關進了大牢裡。

檀道濟進宮之後，很快遭到誣陷，不只自己被關入大牢，他的家人也遭到殘害。當檀道濟知道自己即將被處死後，又氣又急，眼中發出如火炬般熊熊烈焰，大口把酒一飲而盡後，脫下頭巾重重的丟到地上，破口大罵：「你們這樣做，是在毀掉保衛國家的長城啊！」

檀道濟被處死的消息傳出後，宋國百姓悲痛萬分，北魏百姓卻高興不已，互相說著：「檀道濟死了，宋國沒有讓人畏懼的人物了！」很快的，北魏又大舉進攻宋國。宋文帝深深悔恨自毀長城，處死了檀道濟，但已經來不及了。典源：《南史》

學習藏寶箱

1 目光如炬

解釋　原是形容憤怒注視的眼神，後也用來形容人目光銳利有神；或看事情的眼光透澈，見識遠大。

造句　他目光如炬，總能精準的指出問題，並找出解決的方法。

2 目不識丁

解釋　丁字都不認識。比喻不識字，沒有學問。

造句　現在大家都要上學受教育，已經沒有目不識丁的人了。

3 明目張膽

解釋　比喻毫不顧忌的公然做壞事。

造句　人來人往的街道上，這個歹徒竟然明目張膽的搶劫商家，還好很快就被警察逮捕了。

4 拭目以待

解釋　擦亮眼睛等待。比喻殷切期待事情的發展與結果。

造句 這次的演唱會將有一位神祕佳賓，帶來精采的演出，請大家拭目以待。

5 瞠目結舌（ㄔㄥ ㄇㄨˋ ㄐㄧㄝˊ ㄕㄜˊ）

解釋 睜大眼睛說不出話來。形容吃驚、詫異、無奈的樣子。

造句 這個旅遊節目介紹各地奇異的風俗，常讓觀眾瞠目結舌，難以想像竟有這樣的事情。

6 觸目驚心（ㄔㄨˋ ㄇㄨˋ ㄐㄧㄥ ㄒㄧㄣ）

解釋 眼睛看到的讓內心深受衝擊。形容景象讓人恐慌震驚。

造句 強烈颱風帶來的土石流，造成重大災情，讓人看了觸目驚心。

7 賞心悅目（ㄕㄤˇ ㄒㄧㄣ ㄩㄝˋ ㄇㄨˋ）

解釋 形容景象美好，使人感到快樂舒暢。

造句 高山上的自然風光，春日美景，讓人賞心悅目。

相關成語參考

目空一切、目光如豆、刮目相看、目不見睫、望眼欲穿

嘴巴的成語

三緘其口

嘴巴是飲食、發聲的器官，成語中用「口」來表示。「口」的成語也常跟說話有關，像是形容人說話謹慎或是口才很好、談吐文雅等。

故事時光機

孔子是春秋時代偉大的教育家、思想家，從小立志向學，長大後學問越來越好，名氣也越來越大，向他請教學問的人越來越多，於是他興辦學校，廣收學生，把教育普及到平民百姓。

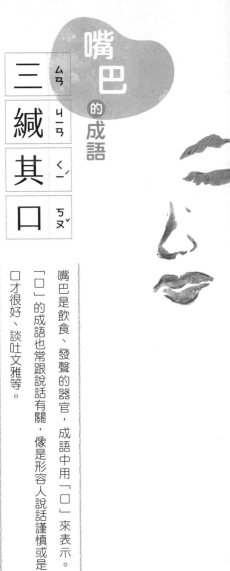

在孔子之前，受教育是貴族的特權，但孔子有教無類，只要有上進心，想要學習，不管學生身分貧富貴賤，他都一視同仁，認真教導，讓人人都有接受教育的權利，將文化知識傳播到民間，因此有「至聖先師」的美譽。

孔子的學生，前後多達三千人，他因材施教，針對學生的個性與才能，給予不同的指導與啟發。除了推廣教育，孔子也帶著弟子，不辭辛勞的周遊列國推行仁政。

有一次，孔子和弟子們來到周朝首都，參觀周王的祖廟時，看到祖廟右邊的臺階前立著一座銅像。銅像的嘴巴上貼了

三道封條，背上刻了一段文字，上面寫道：「這是古時候說話最謹慎的人。要謹慎啊！謹慎啊！不要多說話，話說多失誤也多。不要多事，多管閒事會招來災禍。安樂時要有警戒心，不要做將來會後悔的事。」

孔子看著銅像，沉思了好一會兒後，轉過身告誡弟子們：「大家要記住！這個銅像告誡了人們，說話和做事必須非常謹慎小心，如果不加思索，隨隨便便的發表意見，容易招來爭吵與糾紛。」

典源：《說苑》

學習藏寶箱

1 三緘其口（ㄙㄢ ㄐㄧㄢ ㄑㄧˊ ㄎㄡˇ）

解釋　嘴巴加了三道封條。形容說話謹慎或是閉上嘴巴不說話。

造句　消息還沒有經過證實前，他三緘其口，不願發表任何意見。

2 出口成章（ㄔㄨ ㄎㄡˇ ㄔㄥˊ ㄓㄤ）

解釋　比喻學識才思敏捷，談吐文雅。

造句　他喜歡閱讀，尤其偏愛文學經典，書看得多，自然出口成章。

3 守口如瓶（ㄕㄡˇ ㄎㄡˇ ㄖㄨˊ ㄆㄧㄥˊ）

解釋　嘴巴像瓶口一樣封得嚴緊。比喻說話謹慎，能嚴守祕密。

造句　他雖然知道事情的真相，卻始終守口如瓶，不洩露任何消息。

4 啞口無言（ㄧㄚˇ ㄎㄡˇ ㄨˊ ㄧㄢˊ）

解釋　遭到質問或反駁時，說不出話來，不知該怎麼回應。

造句　他說的謊話被拆穿，頓時啞口無言，不敢再強辯。

5 信口開河

解釋　比喻不加思索，隨意亂說。

造句　他常常信口開河，說出的話沒有做到，不是有信用的人。

6 異口同聲

解釋　大家都說同樣的話，意見相同。

造句　媽媽問我們想去哪裡玩？我和弟弟異口同聲說：「動物園。」

7 心直口快

解釋　形容人個性坦白直爽，想說什麼就說什麼。

造句　他心直口快，看到不合理的事便馬上提出批評。

相關成語參考　苦口婆心、良藥苦口、膾炙人口、口碑載道、眾口鑠金

牙齒的成語

拾人牙慧

牙齒被嘴脣包覆，所以成語中常和嘴脣連用，比喻關係的密切。而牙齒又與年紀的增長有關，成語中的「齒」也有年齡的意思。

故事時光機

東晉的時候，殷浩飽讀詩書，學識淵博，喜歡與人談論玄學哲理，年紀輕輕就成了名聲響亮的玄學家。

殷浩後來成為大將軍，統率五個州的軍隊，帶兵作戰，然

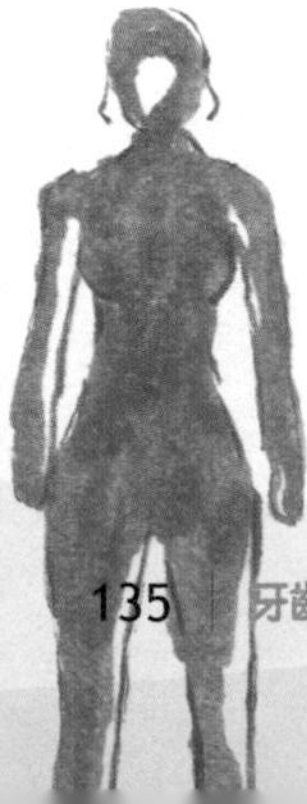

而他與另一位大將軍桓溫不合，常常發生衝突。當時朝中的大臣王羲之曾勸告殷浩應該以國家百姓為重，與桓溫同心協力抵禦入侵的敵軍，他卻不肯聽從。

不久後，殷浩作戰失敗，桓溫便趁機上書皇帝，指責殷浩的罪狀，殷浩因此被免除了官職，貶為平民，被放逐到偏遠的信安。

殷浩有一個外甥，名叫韓康伯，從小就聰明伶俐，談吐出色，殷浩很疼愛韓康伯，平日常將他帶在身邊，認為韓康伯在同輩青年中，才華和學問是最優秀出眾的。

殷浩被流放到信安時，韓康伯也一同前往。有一次，殷浩看到韓康伯和友人討論學問時，表現出志得意滿的驕傲神情，便不高興的說：「康伯自以為學問淵博，他那一點見識，連我的牙後慧都還沒有得到呢！」

殷浩說的「牙後慧」，也作「牙慧」，指言談之間流露出的智慧，後引申為別人說過的言論、見解。殷浩這麼說，是希望外甥韓康伯不要憑恃自己聰明就變得驕傲自大，要更用心做學問和懂得謙虛的道理。典源：《世說新語》

學習藏寶箱

1 拾人牙慧

解釋　比喻抄襲沿用他人的言論或主張。

造句　這篇論文完全是拾人牙慧，看不到作者個人的意見。

2 脣齒相依

解釋　嘴脣與牙齒緊密靠著。比喻關係密切，互相依靠。

造句　父母過世後，她們姊妹脣齒相依，過著互相扶持的生活。

3 沒齒難忘

解釋　一輩子難以忘懷。

造句　遭到挫折打擊時，好朋友力挺支持的情誼，讓他沒齒難忘。

4 馬齒徒長

解釋　看馬的牙齒可以知道馬的年齡。自謙只是年齡增長，卻沒有什麼成就。

造句　我這幾年只是馬齒徒長，沒什麼值得一提的成就。

5 咬牙切齒

解釋　咬緊牙齒。形容悲痛憤恨到極點的樣子。

造句　一提起遭到詐騙的過程，他便咬牙切齒，憤恨難消。

6 不足掛齒

解釋　比喻輕微的不值得一提，可用來表示輕視或謙虛。

造句　不過是幫一點小忙，不足掛齒，千萬不要放在心上。

7 伶牙俐齒

解釋　形容人口才很好，非常會說話。

造句　他頭腦靈活又伶牙俐齒，很懂得怎麼說服別人接受他的意見。

相關成語參考

脣亡齒寒、明眸皓齒

耳朵的成語

洗耳恭聽

耳朵是聽覺器官，當我們害羞或緊張的時候，有時耳朵會變紅，這種現象後來也變成了巧妙的四字成語。而成語中的耳朵，也常延伸出累積見聞的意思。

故事時光機

上古時代，傳說堯帝晚年的時候，想要讓位給賢能的許由，他去拜訪許由，對他說：「天下交給你這樣賢明有才能的人治理，一定太平又安康。」

許由卻不肯接受，他說：「你已經將天下治理得這麼好，難道我會為了想得到外在的虛名，就取代你的地位嗎？小鳥在林中築巢，只要有一根可以棲身的樹枝就滿足了；鼴鼠到河邊喝水，最多也只是喝滿肚子就夠了。你回去吧！我的志向又不在治理天下，要這麼大的天下做什麼呢？就好像祭祀的時候，即使廚師不到廚房去烹煮食物，負責祭祀的人也不能放下自己的工作，越過禮器，去代替廚師烹煮食物呀！」

許由不在乎名利，無心治理天下，只要在山林中過著悠閒自在的生活就滿足了，於是他跑到箕山隱居了起來。

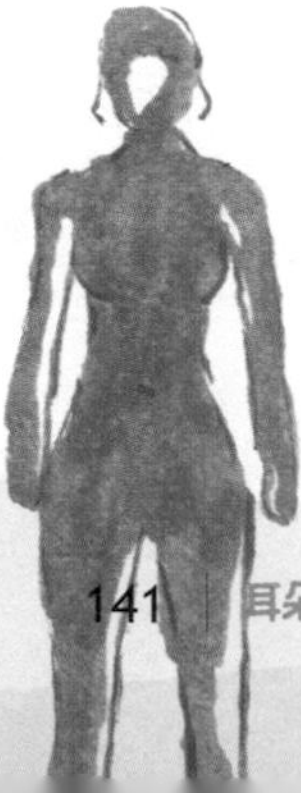

堯帝認為許由實在是一個好人才，不願意放棄，又派使者去箕山拜訪許由，希望他能出任九州的地方官，治理地方。許由聽到請他出來做官的話，覺得汙染了自己的耳朵，便跑到河邊用水清洗耳朵，表示不願意接受，也不想聽到這些話。「許由洗耳」原是指聽到不想聽的話，清洗被汙染的耳朵，後來出現「洗耳恭聽」意思變為把耳朵清洗乾淨，態度恭敬的專心聆聽他人說話。典源：《高士傳》

學習藏寶箱

1 洗耳恭聽

解釋　比喻態度恭敬，專心的聆聽。

造句　他很敬愛爺爺，爺爺的叮嚀他總是洗耳恭聽，努力實踐。

2 面紅耳赤

解釋　形容人因為羞愧、焦急、緊張而滿臉發紅的樣子。

造句　這個問題大家看法不同，爭得面紅耳赤還是沒有結論。

3 充耳不聞

解釋　塞住耳朵，裝作沒聽見。形容故意不理會或拒絕聽取別人的意見。

造句　朋友好心的建議，他竟充耳不聞，實在太自大了。

4 耳濡目染

解釋　耳朵常聽到，眼睛常看到。形容在不知不覺中受到見聞的影響。

造句　他從小常看到父母在讀書，耳濡目染之下，也養成了閱讀的好習慣。

5 耳熟能詳

解釋　因為常聽到，非常熟悉，能詳盡的知道內容或說出來。

造句　安徒生童話的《賣火柴的小女孩》，是大家耳熟能詳的故事。

6 耳目一新

解釋　所見所聞都有一種新奇、清新的感覺。

造句　第一次到紐西蘭觀光，壯闊的自然美景讓人耳目一新。

7 如雷貫耳

解釋　好像雷聲傳入耳朵般響亮。比喻人名氣很大，大家都聽說過。

造句　這個球技高超的明星球員，是籃壇上如雷貫耳的大人物。

相關成語參考

耳提面命、忠言逆耳、掩耳盜鈴

人物篇

毛遂自薦

人物的成語常出自於歷史或寓言、傳說故事，如毛遂為什麼要自薦？最後得到了什麼成果？知道事件發生的前因後果，就能掌握成語的意思。

故事時光機

戰國時期，秦王想要統一天下，派出了大軍攻打其他國家。有一次，秦國大軍包圍了趙國的首都邯鄲，趙國快抵擋不住了，趙王急忙請宰相平原君到楚國去求救，希望楚國出兵幫助趙國，一起抵抗秦國的侵略。

平原君接下任務後，說：「我一定要說服楚王出兵救助趙國，不然趙國就要滅亡了。」接著平原君想在三千名的部下中，挑選出二十個智勇雙全的人，跟他去楚國求援，但最後只選出了十九個符合條件的人，還差一個。

這時候，有個人主動向平原君推薦自己，成為第二十人。平原君不認識這個人，問：「請問先生是誰？在這裡做事多久了？」

這個人回答：「我叫毛遂，在您這裡已經三年了。」

平原君聽了後，搖搖頭說：「一個有才能的人，就像是把錐子放在布袋裡，鋒利的錐尖立刻就會穿透布袋，顯露出來。你在這裡已經三年了，卻沒有任何讓人稱讚的表現，我也從沒聽說過你的名字，看來你的能力不足，不能跟我去，還是留下來吧！」

毛遂被平原君拒絕，並不氣餒，他充滿自信的說：「如果您早一點把我放進袋子裡，讓我有機會表現，我早就脫穎而出，不只是露出一點錐尖而已，而是整個錐子都顯露出來。」

平原君見毛遂這麼有自信，便讓他一同前往楚國。先前選

　　出的那十九個人瞧不起毛遂，一路上嘲笑他不自量力。毛遂也不生氣，安安靜靜的隨行。

　　到了楚國，見到楚王後，無論平原君怎麼勸說，楚王害怕強大的秦國，就是不答應出兵救援趙國。在平原君無計可施時，毛遂突然大步走到楚王面前，語氣嚴厲的說：「楚國和趙國合作對抗秦國，對兩國都有好處；不合作對兩國都有害處，這麼簡單的道理，您為什麼想不通，無法做決定呢？」楚王還是不答應出兵救趙。

　　毛遂再次大聲的說：「大王，您忘記了嗎？秦國的大軍曾

經攻入楚國的都城，燒毀了祖先們的陵墓，您難道不覺得羞愧嗎？楚國與趙國共同對抗秦國，不只是為了趙國，更是為了楚國！」

楚王聽了毛遂的話，想起了秦軍的殘暴不仁，說：「先生的話對極了！我們應該竭盡全力和趙國一起對抗秦國才對。」於是派出大軍前去救援趙國，秦國見楚、趙兩國聯軍，兵力強大，決定撤退，不攻打趙國了。

毛遂自薦的結果，不僅幫助平原君完成任務，也解救了國家滅亡的危機，平原君因此感嘆的說：「唉，過去我自認為有眼光，不會漏看有才能的人，結果竟然沒發現先生，真是我的過錯。先生能言善辯的好口才，力量勝過百萬大軍！」

典源：《史記》

學習藏寶箱

1 毛遂自薦

解釋　比喻自我推薦，自告奮勇擔任重要的任務。

造句　老師希望同學們能毛遂自薦，主動擔任班級幹部。

2 塞翁失馬

解釋　古時候邊塞上老翁丟了一匹馬，幾個月後這匹馬帶著另一匹好馬回來。比喻暫時受到損失，卻反而得到好處。

造句　面試後沒有被錄取，他本來很沮喪，沒想到是塞翁失馬，過兩天應徵上了更理想的工作。

3 莊周夢蝶

解釋　戰國時，莊周在夢中變成蝴蝶，醒來後發現自己仍是莊周。比喻人生變化無常，虛幻短暫。

造句　想起往事，他常覺得如莊周夢蝶，好像是一場夢境。

4 太公釣魚

解釋　傳說姜太公釣魚不用餌，等魚

自己上鉤。比喻心甘情願自己進入。

造句　王老闆常說他是太公釣魚，好人才都是自己上門的。

5 項莊舞劍

解釋　楚漢相爭時，鴻門宴上項莊表演舞劍，想藉機刺殺劉邦。比喻表面的行動下隱藏了另外的意圖。

造句　他主動參加這個計畫，恐怕是項莊舞劍，想要竊取機密。

6 孔融讓梨

解釋　孔融年紀小挑小梨，把大梨讓給哥哥。形容晚輩謙遜，懂得禮讓。

造句　他雖然年紀小，卻懂得孔融讓梨，禮讓哥哥，哥哥也很愛護弟弟。

7 管寧割席

解釋　管寧發現朋友華歆品行不佳，割開席子和他分開坐。比喻朋友之間斷絕情誼，不再往來。

造句　發現朋友霸凌同學，不聽勸告後，他決定管寧割席，表示不認同這樣的行為。

吳下阿蒙

人物的成語也和身分或職業有關，如華佗是東漢時的名醫，世界上第一個用麻醉劑為病人治療的醫生，所以成為了醫術高明的象徵。

故事時光機

三國時代，吳國呂蒙驍勇善戰，領兵打仗，在戰場上為國家立下許多功勞，成為了吳國的大將軍。

呂蒙小時候家境貧窮，沒有讀過什麼書，成為大將軍後，因為見識不足，朝廷中許多官員都瞧不起他。

有一天，吳國的君王孫權對呂蒙說：「你現在是大將軍，負責保衛國家和百姓的安全，責任重大，應該多讀點書，不斷進步，對自己也很有幫助。」呂蒙卻說：「大王，軍中事情好多啊！我每天都在訓練士兵，沒有時間讀書。」

吳王聽了呂蒙的話後，嚴肅的對他說：「我不是要你從早到晚勤學苦讀，成為大學者。而是希望你利用時間，有空時就讀一點書，增加知識。你再忙碌，比得上我治理國家忙碌嗎？我再忙，每天仍會找時間讀書。常常讀書，我從書中得到很大

的收穫。」

呂蒙猶豫的問：「可是我年紀這麼大了，現在讀書，會不會太晚了！」吳王對他說：「不會太晚，不管什麼年紀都可以讀書。你要勉勵自己多讀點書。」

呂蒙認為孫權的話很有道理，下定決心每天找時間學習，看的書越來越多，學問和見識也越來越好。

當時吳國大臣魯肅，一直認為呂蒙是一個只會帶兵打仗，缺乏學問與修養的武夫。有一次經過呂蒙的軍營時，順道去拜訪他，兩人討論起國事時，呂蒙滔滔不絕，有條有理的分析天下大勢，魯肅發現呂蒙和過去大不相同了，不能再看低他，立刻走到呂蒙身旁，拍拍他的肩膀，讚美他：「過去我以為你除了帶兵打仗外，什麼都不懂，今天聽了你的話，發現你見識卓越，有才幹又有謀略，不再是過去那個沒學問的呂蒙了。」

呂蒙得意的說：「人是會改變的。一個有志氣的人，一段時間沒見，就會進步神速得讓人要擦亮眼睛重新看待他的才能。我早就和過去不一樣，你發現得太晚了！」

因為讀書，呂蒙不再是吳下阿蒙，魯肅也對他刮目相看，兩個人也因此成為了好朋友。

典源：《三國志》

學習藏寶箱

1 吳下阿蒙

解釋　比喻學識淺薄的人。

造句　王教授說自己也曾經是吳下阿蒙，經過一番苦學後，才成為了大學者，有了讓人刮目相看的成就。

2 重作馮婦

解釋　春秋時晉人馮婦是打虎勇士，後來用心學問，不再打虎，多年後又再次攘臂打虎。比喻改變職業後，又再度從事以前的工作。

造句　收起咖啡店去上班幾年後，最近他決定重作馮婦，辭掉工作再次開店。

3 江左夷吾

解釋　夷吾是春秋時齊國宰相管仲。比喻能輔助國事的賢能人才。

造句　歷史上，每個朝代都有江左夷吾般的治國良才。

4 逢人說項

解釋　唐朝時，楊敬之逢人就讚揚項斯的才華。比喻到處替人遊說、講情或極力推薦某人。

造句 這次的選拔賽，他逢人說項推薦自己的好朋友，熱心的拉票。

5 華佗再世

解釋 華佗是漢朝時的名醫。比喻醫術高明，有如華佗再度來到人世。

造句 王醫生醫術高明，如華佗再世，是許多病患的救命恩人。

6 潘安之貌

解釋 潘安是晉朝時著名的美男子。比喻男子容貌俊美。

造句 他長相俊美，有潘安之貌，是現在最紅的青春偶像。

7 程門立雪

解釋 宋代游酢、楊時不敢驚動小睡中的老師程頤，站在門外等待，程頤醒來時，積雪已一尺深了。比喻尊師重道，誠心向學。

造句 他已經是國際知名的大學者了，仍然程門立雪，常常去探望老師，跟老師請教學習。

東施效顰

有些成語和兩個人物之間的互動有關，像管仲與鮑叔牙，焦贊和孟良，都是感情深厚的好朋友，後人便取他們名字中的一字，合在一起變成一個成語。

故事時光機

春秋時代，越國一個小村莊的西邊，住著一戶姓施的人家，家中有個容貌美麗的女兒，大家稱她為「西施」。

傳說西施在河邊洗衣服時，河裡的魚看到她的美麗容貌，都會著迷得忘記游動身軀，沉入水中。

人們常誇讚西施的美貌，西施不只漂亮，動作和姿態也都很優雅。

小村莊的東邊，也有戶施姓人家，家裡也有一個女兒，大家稱她「東施」。東施的容貌不好看，卻特別喜歡跟在西施後面，模仿西施的樣子。

西施身體不好，常常心口發痛。每當她心口痛時，便輕輕的用手摀住胸口，微微皺著眉頭。村裡的人看到西施嬌弱的模樣，覺得她更加的美麗了。

東施看到後，便刻意模仿西施心痛的樣子，用手摀著胸口，皺著眉頭，假裝很虛弱的樣子，慢慢從街上走過。村中的人才剛剛見到美麗的西施，馬上看到東施怪模怪樣的走在後面，都嚇了一大跳，趕快回到家裡，關上門窗，不想看到東施。

東施不知道西施摀著心，皺著眉的樣子看起來很美，是因為西施本身就是絕世美女，不舒服的樣子也掩蓋不住她的美。長相不好看的東施加以模仿，反而讓自己看起來更醜了。

典源：《莊子》

學習藏寶箱

1 東施效顰

解釋　比喻不衡量自己的條件或實際狀況，盲目胡亂的模仿他人，造成了相反的結果。

造句　每個人都有自己的優點與長處，刻意改變自己模仿別人，小心變成東施效顰。

2 蕭規曹隨

解釋　漢朝時，曹參繼蕭何為丞相後，政策、法令都沒有變更，延續執行。比喻後人依循前人所制定的規章行事。

造句　雖然換了一個新的領導者，但蕭規曹隨，規矩完全不變。

3 管鮑之交

解釋　春秋時代，鮑叔牙和管仲是至交好友。比喻交情深厚，了解很深的好朋友。

造句　他們兩個小學就認識了，是相知相惜超過二十年的管鮑之交。

4 焦孟不離

解釋　宋朝時，焦贊與孟良感情好，天天在一起。比喻感情深厚，做什麼事都在一起。

造句 這對好朋友在學校時一起讀書，畢業後一起工作，一直焦孟不離。

5 瑜亮情結

解釋 三國時代，周瑜與諸葛亮才智相當，周瑜的計謀每次都被諸葛亮識破，敗給諸葛亮。比喻兩人能力、才幹相當，因暗中較勁而產生心結。

造句 他們都是公司的超級業務員，總是互相較勁，有很深的瑜亮情節。

6 子虛烏有

解釋 子虛和烏有是漢代文學家司馬相如文章中虛構的人物。比喻虛構的、不存在的。

造句 他在網路上自稱是家財萬貫的跨國公司總裁，這些都是子虛烏有，他只是個惡劣的詐欺犯。

7 優孟衣冠

解釋 春秋時楚國藝人優孟，滑稽機智，擅長諷諫。比喻登場演戲，或假扮古人、模仿他人。

造句　這次的才藝表演，我們打算優孟衣冠扮演歷史人物演一齣短劇。

8 伯樂一顧

解釋　伯樂是周朝善於相馬的人，能找出珍貴的千里馬。比喻才能受人看重、賞識。

造句　他雖然很有才華，卻缺乏伯樂一顧，所以一直沒有機會發揮。

相關成語參考

江郎才盡、班門弄斧、名落孫山、曾參殺人、阮囊羞澀、孟母三遷、沆瀣一氣、助紂為虐

—作者序—

孩子們的疑問：為什麼要學成語？

文／李宗蓓

小朋友上小學之後，「成語」便如影隨形，雖不是課堂上正規教學科目，卻常被要求自主學習，甚至必須每天造句，不只是小孩的作業，也成為了家長的功課。

身為家有小學生的雙寶媽，看到孩子連絡簿上的成語，或是拿回來的學習單、練習題時，常有疑惑：如果希望孩子能自主學習，卻沒有好好的規劃、選材，內容過於冷僻或解釋不清，孩子看過之後可以記住並運用嗎？能夠造出用法正確的句子嗎？

這正是二〇一八年推出《晨讀10分鐘：成語故事集》的初衷，將相關的成語以「意思」分為四大類，精選出五十二個主題，每個主題一個故事，七個相關成語，總共三百六十五個成語。一週一主題，一天一成語，希望能提供孩子更有趣，更易理解，更有系統的學習方法。意思相近的成語放在一起學習，舉一反三，即使沒有精讀熟記，也能大致對這個成語的意思與用法有概念。

這次我們企劃了第二套《晨讀10分鐘：成語故事集2．生活篇》，以生活中熟悉的動物、植物、身體、自然等項目，總共分成八大類，一樣精選出五十二個主題，七個相關成語，全書共三百六十五個成語。例如「動物」中和「牛」有關的成語，便放在同一類，小朋友可以同時學習多種和「牛」有關的成語，這樣的分類方法，也很符合常見的成語學習單練習需求。

兩套書只有極少數成語同時出現，但造句都不同，可以單獨使用，也可以兩套一起讀。兩套書皆附有劇場版CD，成語故事可以用看的，更可以用聽的，小朋友能夠對照同一個故事在文字描述上，和對話說明上的不同之處，同時學習兩種表達方式。

用聽故事來引發小朋友學習成語的興趣，是很好的方法。小朋友常聽到「成語」就皺眉頭，是因為常常一接觸就是要背解釋和造句。其實成語並不枯燥，成語的由來大多出自歷史和寓言故事，像為什麼要「聞雞起舞」呢？「吳牛喘月」是什麼意思？「毛遂自薦」有什麼結果？這些成語故事都很精采，知道故事緣由後，成語的意思和用法自然而然也記住了，這比硬去背成語的解釋，抄寫或造句，更有用處且長久。

小朋友在學成語時，總會問一個問題：「為什麼我要學成語？學成語有什麼用？」我曾這樣回答：「如果一個東西，你現在學會後，可以用一輩子，是不是越早學會越好呢？」

成語的運用和語文寫作能力息息相關，不管是學生時代大大小小的寫作和考試，或是進入社會後寫報告、寫文章。善用成語可以讓文字精鍊，義蘊豐富，不需要長篇大論，一個成語便可以畫龍點睛，語文素養是終生的能力。

現在也是一個自媒體的時代，每個人都可以在網路社群侃侃而談，發表意見，能理解文章中或媒體上所見所用的成語意思，不要用錯成語惹人訕笑，這些都是自小學習成語的好處。當然寫作能力的培養不是只靠成語，但能精準到位的使用成語，絕對是文筆佳妙的展現。

希望《晨讀10分鐘：成語故事集》和《晨讀10分鐘：成語故事集2．生活篇》能以故事引發孩子學習興趣，透過有系統的分類，更易理解的解釋和造句，讓孩子發現成語其實很有趣，在學齡階段為孩子奠定良好的語文基礎。

專家推薦

溫老師的一堂成語課

文／溫老師備課Party創始人溫美玉

老師，拜託再講一個成語故事，太精采啦！

老師，你再給一個提示，我們一定可以猜到是哪個成語！

老師，你演得好誇張，哈哈哈！好難猜，到底哪個才是答案啊？

這是學生最喜歡的「成語小學堂」系列活動，如果你在現場觀課，也會跟著一起嗨翻天，想要搶在別組之前，說出正確的成語。

為什麼孩子會這麼投入？成語到底有什麼魔力？

「成語」幾乎源自歷史事件、神話傳說、民間故事以及文學作品。除了精采的情節之外，故事的內涵及啟示，最後簡化成一句話，一句你說了，我就懂的精簡語詞，就是所謂的「成語」。所以，孩子愛聽愛玩，無非就是找到了一種既熟悉又有點陌生的感覺。熟悉是因為這些語詞，好像在生活中常聽到有人使用；陌生則是背後的故事與人物，年代久遠不容易連結。然而，正是因為有點刺激卻依然有跡可循，激發了孩子想征服與挑戰的動機。

然而，一時的激情，是成語學習最大的殺手。看似簡單卻容易半途而廢，主因是很難督促孩子持續不間斷。所以，當我發現《晨讀10分鐘：成語故事集》與《晨讀10分鐘：成語故事集2．生活篇》，不僅有書，還搭配劇場版CD，立即解決了師長需要隨側，現實中卻不允許的窘境。而且，彷彿走進劇場聆聽與欣賞故事，誰能抵擋啊？孩子一旦愛上這些故事，他會覺得學習成語是享受啊！

除了誘使孩子自主學習成語，這套教材也可以成為語文教學的好幫手。教室裡每篇課文都有新的語詞，如果想要加廣加深，成語故事的補充最貼地氣。有經驗的老師就明白，這時最好有一套工具書在旁，而且要能分類清楚，讓學生可以快速找到目標，立即可以分享給全班。過程中，不僅有答案，更棒的是，旁邊就有讓人垂涎的故事可讀，這時，除了成語，不小心腦補歷史，也為國中打好根基。

誰說我們的孩子不愛文學？不喜歡歷史？

誰說文學課程很難設計，很難吸引學生專注？

誰說歷史只能國中才開始涉獵？只能死背硬記？

想要快速提升學生語文能力，又不想打壞胃口，成語故事絕對是最佳選擇。只要選擇一套內容正確，而且方便上手的書籍，不僅能降低文學與歷史門檻，也能拉近閱讀與寫作間的距離。

—專家推薦—

從優質成語故事，潛移默化古文學習力

■文／彰化縣原斗國小教師林怡辰

自從推薦了《晨讀10分鐘：成語故事集》以來，常常收到網友的感謝信，在各大教養教學粉絲團裡，每每有人提問要給孩子學習成語的推薦書裡，也總有家長大力推薦這套書。對於曾真心撰寫推薦文的我來說，真是與有榮焉！

而這樣優質的書籍，要推出第二套：《晨讀10分鐘：成語故事集2．生活篇》，當然，除了原本的優點，像是學習語文最重要的語境、脈絡，讓孩子從故事中完整了解成語；統整類別，讓孩子有整體概念外，透過系統化的應用，對於相同類別的成語，也能細微感受不同，可以更精準的具備語感；以及同樣配備劇場版CD，幼兒園的孩子即可在優質的有聲故事中，練習聽力學習，感受故事的起伏、成語如何運用，開車零碎時間也可以時時學習；書後「成語遊樂園」單元，透過多變題型的成語遊戲，在讀完故事後立即應用檢測，是學習成語成效最快的利器……對於成語學習來說，重要的因素都已完備。

另外，我想多談談這套優質書籍如何具備在孩子學習成語歷程中，常被忽視，卻是最重要的三點：

一、古文典故國學能力的前哨戰：現在流行素養，文白之爭時常出現。文化的包袱多且廣，但孩子吸收不了，是教學者的一大隱憂和痛點。但如果您細細品嘗，會發現這套書裡的故事，都是改寫自原典的成語典故，並非隨便書寫帶有爭議價值觀的故事。這樣的接觸，孩子可以看見不同朝代的歷史脈絡，看見典故、浸淫在真實歷史中，這些故事都是力量，以後孩子寫作舉例、說讀成語背後，都有壓縮的故事可以依靠及提取，魔鬼都在細節之處啊！

二、文字篇幅和文字精緻度：再仔細閱讀，典故經過改寫濃縮字數，文字清晰易懂，對話生動活潑。在許多書籍中，大人們常會忽視文氣，事實上改寫的功力會隨著孩子閱讀深入血脈，將數本相同主題的書籍放在一起，高下立見。

三、例句及統整分類提供系統思考的學習指引：學習成語或語文，除了了解意思可以溝通以外，更重要的是「應用」。因此背誦語意倒不如讓孩子讀例句、自己造句應用，這套書中的例句清楚淺顯外，還加以統整分類。第一套心情感受、待人處事、外在表現、社會生活四大類，第二套依照生活中常見的事物來歸類，分成動物、植物、自然、器物等八大類，更能讓孩子和生活連結，之後學習新的成語，也能自己歸類延伸。這些無形的學習，比起表面的知識，更加無價！

書是買不完的，但更重要的是時間，一本好書的價值，往往是多本濫竽充數的書都比不上的。如您在找尋語文優質好書，希望提升孩子語文素養，奠基孩子口語表達和寫作能力，更希望雙管齊下，一次達陣，更省下孩子珍貴時間，《晨讀10分鐘：成語故事集2．生活篇》，是您最精準的選擇！

國家圖書館出版品預行編目(CIP)資料

晨讀 10 分鐘：成語故事集2・生活篇／李宗蓓著；蘇力卡繪. -- 第一版. -- 臺北市：親子天下, 2020.07
176頁；14.8x21公分. --（晨讀 10 分鐘系列；38）

ISBN 978-957-503-613-3（上冊：平裝）

1.漢語 2.成語 3.通俗作品

802.1839　　109006694

晨讀 10 分鐘系列 038

[小學生] 晨讀10分鐘 成語故事集 2・生活篇（上）

作者／李宗蓓
繪圖／蘇力卡

責任編輯／李幼婷
版型插圖、美術設計／曾偉婷
行銷企劃／葉怡伶

天下雜誌群創辦人／殷允芃
董事長兼執行長／何琦瑜
媒體暨產品事業群
總經理／游玉雪　　副總經理／林彥傑
總編輯／林欣靜
行銷總監／林育菁　　副總監／李幼婷
版權主任／何晨瑋、黃微真

出版者／親子天下股份有限公司
地址／台北市 104 建國北路一段 96 號 4 樓
電話／（02）2509-2800　　傳真／（02）2509-2462
網址／www.parenting.com.tw
讀者服務專線／（02）2662-0332　　週一～週五：09:00~17:30
讀者服務傳真／（02）2662-6048
客服信箱／parenting@cw.com.tw

法律顧問／台英國際商務法律事務所・羅明通律師
製版印刷／中原造像股份有限公司
總經銷／大和圖書有限公司　　電話：（02）8990-2588

出版日期｜2020年 7 月第一版第一次印行
　　　　　2024年10月第一版第十次印行
定價｜260 元
書號｜BKKCI018P
ISBN｜978-957-503-613-3